Klaus Wolfsperger

Rand...
...

77 belles rand... ...journée
le long des côtes et dans les montagnes de l'Île de Beauté

avec 275 photos en couleurs, 77 cartes de randonnées
aux 1:25 000 / 1:50 000 / 1:75 000, 79 profils d'altitude
et quatre plans de vue d'ensemble au 1:650 000

Edition ROTHER · MUNICH

ROTHER Guides de randonnées

Préface

La Corse est un lieu de vacances on ne peut plus idéal. Des baies pittoresques, des plages de sable de plusieurs kilomètres de long, des sites de villégiature agréables, de vastes forêts, des lacs et des ruisseaux limpides, des journées sous le soleil de la Méditerranée et une expérience sereine de la nature – une foule d'avantages donc que peu de lieux de vacances peuvent nous offrir. Avant tout, ce sont ces paysages de montagne grandioses qui rendent la Corse – aussi nommée la « Montagne dans la Mer » – si attrayante. Non seulement les sommets de la crête principale de la Corse, couverts de neige jusqu'au début de l'été et s'élevant tout près de la côte jusqu'à 2706 m au-dessus de la mer sont très imposants mais la diversité et la singularité du paysage, ainsi que la beauté sauvage et presque totalement vierge de nombreuses régions montagneuses de l'île nous impressionnent aussi tout spécialement.

Ainsi, depuis longtemps, « l'Île de Beauté » est un bon plan pour les randonneurs et les alpinistes. Le chemin de grande randonnée alpine notamment, le GR 20 inclus dans quelques parcours de ce guide est très renommé – il en va de même pour les sentiers de grande randonnée Mare e Monti et Mare a Mare, plus modérés. Ce guide de randonnées désire également vous proposer quelques possibilités de parcours moins connues, loin des itinéraires touristiques les plus fréquentés. Vous trouverez alors un grand choix de randonnées et d'excursions pédestres faciles, depuis la promenade le long des plages, jusqu'à la randonnée aventureuse de cascades et la montée vers les cimes panoramiques. La plupart de ces parcours peuvent être empruntés sans problème par des familles accompagnées d'enfants et des personnes âgées. L'apogée incontestable de ce guide reste cependant les sommets montagneux culminant à 2000 m qui mettent à nos pieds le petit monde époustouflant de la « Montagne dans la Mer ». Concernant le choix des randonnées, j'ai tout mis en œuvre pour prendre en compte comme il convient l'intégralité des régions de l'île. Les randonneurs suivant les parcours décrits auront ainsi une impressionnante vue d'ensemble des magnifiques paysages de la Corse.

Cette édition a fait l'objet d'une mise à jour minutieuse. Les incendies de forêt, la construction de routes forestières et surtout l'œuvre constante de la nature engendrent toutefois des changements constants. Je demande donc à tous ceux qui aiment les montagnes corses d'informer l'éditeur de tout rectificatif.

Je souhaite aux utilisateurs de ce guide d'agréables journées, riches en événements heureux, dans le monde merveilleux des montagnes corses.

Juin 2015

Klaus Wolfsperger

Sommaire

Indications touristiques

Difficultés

La plupart des randonnées s'effectue par des chemins et des sentiers balisés. Cependant, ceci ne doit pas donner l'illusion de la facilité. Certaines étapes exigent une bonne condition physique, un pied sûr, une insensibilité au vertige ainsi qu'avant tout un sens de l'orientation éprouvé. En outre, il ne faut pas oublier que les randonnées présentent plus de difficultés au printemps et à la suite de longues périodes de mauvais temps.

Pour mieux apprécier les niveaux de difficulté spécifiques, les numéros de parcours ont été marqués de couleurs différentes :

Facile Ces chemins sont en grande partie bien balisés, suffisamment larges et ne sont que légèrement escarpés. Ainsi, par mauvais temps, ils peuvent être empruntés sans problème ainsi que par des randonneurs non avertis en temps normal.

Moyen Ces sentiers sont en général balisés mais en grande partie étroits ; certaines courtes étapes peuvent être même un peu exposées. Ils ne devraient donc être empruntés que par des randonneurs de montagne ayant un pied sûr.

Difficile Ces sentiers sont souvent étroits et escarpés. Ils peuvent être localement très exposés ce qui nécessite parfois l'intervention des mains (I = escalade facile, II = escalade engagée). Ceci signifie que ces chemins ne peuvent être empruntés que par des randonneurs au pied sûr, insensibles au vertige, en bonne condition physique et ayant une bonne expérience de la montagne.

Symboles

🚌	Accessible en car/train	)(Γ	Col, selle / bifurcation
✕	Restauration en chemin	♰ ▮	Eglise, chapelle, couvent / tour
🛉	Adapté aux enfants	⛫ ☀	Phare / point panoramique
▰	Localité avec restauration	⊼ ❁	Aire de pique-nique
■	Refuge avec restauration, auberge	)(π	Pont / porte à claire-voie
◘	Cabane, abri	∩ ◠	Grotte / rocher percé
🚌	Arrêt de bus	❦ ▲	Arbre remarquable
▣	Gare	◉ ○	Source / réservoir d'eau
† ⸸	Sommet / oratoire, croix	▨ ﹆	Baignade / cascade

Les plus belles randonnées en Corse

Monte Cinto, 2706 m
Le roi des montagnes corses (itin. 69 ; 8h30).

Monte Rotondo, 2622 m
Second sommet avec un superbe paysage en prime (itin. 65 ; 8h30).

Paglia Orba, 2525 m
Parcours exigeant vers le »Mont Cervin corse« (itin. 71 ; 8h30).

Monte d'Oro, 2389 m
Circuit de choix au-dessus du Col de Vizzavona (itin. 60 ; 9h).

Lac de Melo et Lac de Capitello
Vers les plus jolis lacs de montagne de la Corse (itin. 63 ; 3h30).

Lac de Nino
Paradis de montagne avec cochons, vaches et chevaux (itin. 68 ; 4h45).

Capu d'Orto, 1294 m
Circuit fantastique au-dessus du Golfe de Porto (itin. 23 ; 6h20).

Calanche
Les plus belles facettes du tourisme (itin. 22; 4h30).

Monte San Petrone, 1767 m
Splendide sommet panoramique dans la Castagniccia (itin. 5 ; 4h45).

Cascades du Polischellu
Parcours de cascades de première classe (itin. 48 ; 4h30).

Gorges de Spelunca
Randonnée appréciée avec possibilité de baignade (itin. 20 ; 2h30).

Uomo di Cagna, 1217 m
Un célèbre rocher vacillant comme but de promenade (itin. 37 ; 6h).

De Tizzano à la Cala di Conca
Grandiose sentier côtier vers des plages paradisiaques (itin. 35 ; 5h30).

Monte Astu, 1535 m
L'un des plus beaux parcours de randonnée de l'île (itin. 8 ; 6h).

Dangers

Un grand nombre de parcours emprunte des chemins faciles et bien indiqués. Si le tracé est spécialement exposé ou exige une certaine expérience, le texte mentionne la difficulté. Dans les régions montagneuses, il faut s'attendre aussi en plein été à des défilés enneigés, à des orages subits, à un brouillard épais et même à des chutes de neige. Se renseigner par conséquent sur les conditions météorologiques avant toute randonnée en montagne.

La meilleure saison

L'époque idéale pour une promenade en montagne est entre juin et octobre, voire à partir de la mi-juillet après des hivers très neigeux. On peut atteindre tous les autres lieux d'excursion pendant presque toute l'année, surtout ceux qui se trouvent à proximité des côtes, mais il ne faut pas oublier que dans les régions inférieures à 1000 m la chaleur est très forte en plein été. Au printemps et à la suite de fortes pluies, il faut s'attendre à de grandes crues où les ruisseaux deviennent infranchissables.

Equipement
Des chaussures à semelles sculptées, des pantalons solides, des vêtements contre la pluie, le vent et le froid mais aussi des provisions pour le parcours (boissons !) sont indispensables pour la plupart des randonnées.

Cartes
Les cartes spécifiques en couleurs accompagnant le texte avec un tracé de parcours pour chaque randonnée proposée (au 1:25 000 – 1:75 000), font partie intégrante du guide. Si vous voulez vous procurer une carte supplémentaire, nous vous conseillons les excellentes cartes IGN au 1:25 000 également mentionnées sous le point »Carte«.

Temps de marche
Les heures indiquées correspondent à la durée de marche sans aucune halte ou pause-photo !

Halte et hébergement
En Corse, il n'existe guère de pâturages alpestres exploités et de chalets alpins comme dans les alpes. Parfois, vous pouvez vous procurer du fromage dans une bergerie. Les refuges sont destinés aux randonneurs qui pourvoient à leur propre ravitaillement et ils sont en général ouverts toute l'année. Ils offrent comme seul « luxe » un gîte, un réchaud à gaz, un puits ou une source à proximité – en haute saison, de nombreux refuges (surtout sur le GR 20) proposent une restauration simple. Quelques refuges peuvent être complets en été. Un sac de couchage, une bâche contre la pluie ou une tente, doivent alors faire partie de l'équipement standard pour pouvoir pas-

L'une des plus belles randonnées de Corse – le chemin menant au Lac de Nino.

Gros cairn sur le point culminant du Capu d'Orto.

ser la nuit dans un refuge. Les dits gîtes d'étape sont de simples auberges qui proposent parfois la demi-pension.

Arrivée

De nombreux points de départ pour les randonnées proposées dans ce guide peuvent être atteints avec les moyens de transport publics. Lorsqu'il est possible d'accéder au point de départ par l'autorail corse, cela est signalé dans le texte au niveau de la « Localité » ou du « Point de départ ». En outre, presque toutes les grandes localités sont desservies une ou deux fois par jour par des bus. Quelques points de départ sont également accessibles en vélo depuis le lieu de vacances sans grand effort.

Protection de la nature et de l'environnement

La Corse est un paradis naturel, comme il n'en existe que très peu en Europe. Ainsi, malgré des décharges sauvages et le comportement de certains Corses encore un peu trop insouciants vis-à-vis de leur trésor naturel, notre premier souci devrait être la protection de la nature. Respectez alors plantes et animaux quels qu'ils soient, ramenez vos déchets dans la vallée, ne jetez pas vos mégots par inadvertance et ne faites pas de feu ouvert (danger d'incendie de forêt).

Traces GPS

Des traces GPS pour les randonnées décrites dans le présent guide sont disponibles gratuitement sur le site www.rother.de. Pour les télécharger – nom utilisateur: **gast** / mot de passe: **wfCorse11gz8hk**

Randonnées pédestres en Corse

La « Montagne dans la Mer »

Après la Sicile, la Sardaigne et Chypre, la Corse avec ses 8680 km² de superficie arrive en quatrième position et elle est l'île la plus montagneuse de la Méditerranée avec une altitude moyenne de 568 m. Un massif de montagnes traverse l'intérieur de l'île du nord au sud en forme de S dont le point culminant est le Monte Cinto avec ses 2706 m de hauteur. Il n'est donc pas étonnant que la Corse avec ses quelque 315 000 habitants dont déjà plus de 100 000 vivent à Bastia et Ajaccio soit l'une des îles de la Méditerranée la moins peuplée.

Tous les fleuves importants dont le plus long est le Golo (84 km) prennent leur source dans la crête principale. Le plus attrayant dans ce paysage sont les gorges sauvages, que quelques fleuves ont creusées dans les montagnes, entre autres celles de l'Asco, de Santa Regina, de Spelunca et de Restonica. En outre, l'île possède de nombreux lacs de montagne qui semblent sortis du paradis, nichés pour la plupart dans les cuvettes peu profondes des glaciers et entourés de « pozzines ». Les plus beaux lacs sont ceux de Melo, Capitello, Nino, Creno et le lavu di l'Oriente.

La flore et la faune

Dans les régions côtières et jusqu'à une altitude de 1500 m, nous rencontrons avant tout le maquis, constitué de broussailles de cistes, de genêts, de bruyères arborescentes, de lentisques et d'arbousiers, de lavande, de romarin et de beaucoup d'autres variétés d'arbustes qui, pendant la floraison au printemps et à l'automne, enchantent les randonneurs par leur parfum enivrant, mais qui sont surtout connus à cause de leurs épines et pointes pi-

Mouflons dans la Vallée de la Spasimata.　　*Une couleuvre verte et jaune (inoffensive).*

quantes. Plus haut, nous rencontrons souvent de vastes hêtraies et châtaigneraies. Mais les magnifiques pinèdes qui s'étendent jusqu'à une hauteur de 1800 m sont encore plus belles.

La faune est bien moins variée. Il faut avoir de la chance pour rencontrer l'aigle royal (seulement dans le Massif du Cinto) ou quelques mouflons dans la région de Bavella et Asco. Nous ne pouvons cependant guère éviter les cochons à moitié sauvages qui rôdent partout. Dans certaines régions montagneuses, ils sont même devenus un vrai problème car les versants qu'ils labourent sont en proie à l'érosion.

Le Parc naturel régional de Corse

Le parc, dont la superficie est aujourd'hui d'environ 3500 km², a été créé en 1972. Il s'étend de Calenzana au nord en passant par la grande dorsale, jusque près de Porto-Vecchio au sud. Sa mission est avant tout de protéger la nature et d'améliorer l'infrastructure économique et touristique de l'intérieur de l'île.

Tafoni dans les calanche.

Le GR 20 (Sentier de Grande Randonnée de la Corse)

Ce sentier de grande randonnée alpine très renommé, traversant l'île sur presque toute sa longueur du nord au sud, est souvent sous-estimé. Le GR 20, long d'environ 160 km, marqué en blanc-rouge exige une bonne condition physique, un pied absolument sûr, une parfaite insensibilité au vertige, mais aussi une expérience suffisante de la montagne. Il n'est pas conseillé de le pratiquer avant mi-juin ; la période la plus favorable est de juillet à mi-septembre. Il faut compter au moins deux semaines pour le parcourir et les nuits sont passées dans de simples refuges, qui sont en service durant l'été. Parcourir le GR 20 en hiver est une formidable aventure (haute route à ski), qui est réservée exclusivement aux randonneurs chevronnés.

Le *GR 20 en étapes* :
Calenzana – Refuge d'Ortu di u Piobbu (6h30) – Refuge de Carrozzu (6h30) – Haut-Asco (5h30) – Refuge de Tighiettu (5h30) – Refuge de Ciottulu di i Mori (4h) ou bien Le Fer à Cheval (6h30) – Refuge de Manganu (8h30 ou bien 6h) – Refuge de Petra Piana (5h) – Refuge de l'Onda (4h30) – Vizzavona (5h30) – Refuge de Capanelle (4h30) – Refuge de Prati (6h) – Refuge d'Usciolu (5h) – Refuge Matalza (4h45) – Refuge d'Asinao (4h) – Refuge de Paliri (6h) – Conca (4h).
Littérature : Rother Guide de randonnées « Corse – GR 20 » de Willi et Kristin Hausmann (Edition Rother), « Topo-guide GR 20 » et « Haute Route à Ski » (de l'administration du Parc naturel régional de Corse).

Autres sentiers de grande randonnée

Mare e Monti :
Sentiers confortables longeant le plus souvent la côte à faible altitude. Le sentier de Calenzana à Cargèse est le plus beau et le plus populaire (10 jours / 50h). Ne pas oublier en outre les sentiers de Porticcio à Burgo / Propriano (5 jours / 26h) et de Solenzara à Ghisoni. Un sentier le long du cap Corse est également prévu.

Mare a Mare :
Sentiers faciles traversant l'île d'est en ouest. Le sentier de Moriani à Cargèse traverse le Niolu ou le Venachese (5–12 jours / 38h ou 52h). Le parcours de Ghisonaccia à Porticcio passe par Fium'Orbu et Taravu (6–7 jours / 34h). Le chemin de Porto-Vecchio à Burgo / Propriano parcourt essentiellement l'Alta Rocca et le Sartenais (6–7 jours / 26h).
Pour plus de détails s'adresser aux bureaux d'administration du parc.

Randonnées de plusieurs jours

Sous le mot clé »Variante(s)« dans la description de chaque parcours, vous trouvez souvent une mention comment combiner les promenades décrites, ou bien comment les développer en randonnées de plusieurs jours. On peut spécialement recommander les promenades Bonifatu – Haut-Asco (2 jours) et Col de Verghio – Lac de Nino – Vallée de la Restonica – Monte Rotondo – Monte d'Oro – Vizzavona (4 à 5 jours).

Informations et adresses

Arrivée en Corse
Avec le ferry : Pendant la saison on peut se rendre régulièrement en Corse de Marseille, Toulon, Nice, Savone, Gênes*, Livourne, Naples* et de la Sardaigne avec les sociétés SNCM / Corsica Marittima*, Corsica Ferries, Moby Lines*, CMN (La Méridionale), SNAV* et Saremar (* pas de liaison hors saison).
En avion : Vols réguliers du continent français et vols charters depuis de nombreux pays européens pendant la saison.

Renseignements
Syndicat d'Initiative : Agence du Tourisme de la Corse – 17, boulevard du Roi Jérôme, BP 19, F–20181 Ajaccio Cedex 01, ✆ (0)4 95 51-00 00, -77 77, fax -14 40, www.visit-corsica.com, www.franceguide.com
Centre d'information du Parc naturel : Parc Naturel Régional de Corse – 2, rue Major Lambroschini, F–20184 Ajaccio, ✆ 04 95 51 79 10, fax 04 95 21 88 17, www.parc-naturel-corse.com
D'autres offices du parc (ouverts en saison seulement) se trouvent en autres à Corte, Porto-Vecchio, Zonza et dans la Vallée de l'Asco.

Camping
Le camping sauvage est formellement interdit. Simplement à certains points de départ pour les randonnées ou près des refuges, on ferme l'œil pour une nuit. Cependant, il existe des terrains de camping dans toute l'île.

Vol
Malheureusement, on fracture aussi les voitures stationnées en montagne. Ne laissez donc aucun objet de valeur dans la voiture, même bien caché !

Jours fériés
1er janvier, lundi de Pâques, 1er mai, 8 mai, Ascension, lundi de Pentecôte, 14 juillet, 15 août, 1e novembre, 11 novembre, 25 décembre.

Climat
Les régions côtières sont privilégiées par le climat méditerranéen (hiver

Mois	1	2	3	4	5	6	7	8	9	10	11	12	année
Air (max. / °C)	13	14	16	18	21	25	27	28	26	22	18	15	20
Air (min. / °C)	3	4	5	7	10	14	16	16	15	11	7	4	9
Eau (°C)	13	13	13	14	16	20	22	23	22	20	17	15	17
Jours de pluie	10	9	10	8	5	3	1	2	5	8	11	10	82

doux, été chaud). Par contre, les régions à l'intérieur de l'île, surtout les régions montagneuses, sont soumises à des variations de climat importantes (hiver relativement froid avec pluies ainsi que neiges abondantes).

Appel d'urgence
En cas d'urgence en montagne, composer de préférence le 17 pour alerter la police ou la gendarmerie, qui possède une équipe spécialisée pour ce genre d'intervention ; pompiers ✆ 18 ; SAMU ✆ 19 ; appel secours international ✆ 112.

Sports
Pour les amis de la nature, la Corse propose avant tout les sports suivants : équitation, cyclisme, mountain bike, canyoning, kayac et parapente. La pêche dans les ruisseaux et les lacs (truites et anguilles) jouit d'une grande popularité auprès des randonneurs. On peut obtenir le permis de pêche obligatoire auprès des associations de pêche ainsi que dans les magasins pour articles de pêche. La Corse possède trois petits domaines skiables qui sont ouverts de janvier à mars selon l'enneigement : Col de Verghio, Plateau d'Ese et Capanelle.

Moyens de transport en Corse
Chemin de fer : La SNCF exploite deux lignes reliant les villes de Bastia – Ponte Leccia – Corte – Ajaccio (3h) ainsi que Bastia – Ponte Leccia – Calvi (2h45). Horaires dans les gares, ✆ 04 95-32 80 61, www.traincorse.
Bus : Presque toutes les localités importantes sont desservies au moins une fois par jour par des bus. Gare routière Ajaccio, ✆ 04 95-51 55 45.
Taxi : Il est conseillé de fixer un prix au préalable pour un long trajet.
Voitures de location : Dans beaucoup de lieux de vacances ainsi que dans toutes les grandes villes, il existe des agences de location de voitures.

Prévisions météorologiques
✆ 08 36 68-02 20 et -08 08, www.meteofrance.com.

Des cuvettes d'eau transparentes invitent souvent à un bain rafraîchissant.

Le nord de l'île

Cap Corse – Nebbio – Balagne – Casinca – Castagniccia

Près de la Punta Mortella – à l'arrière-plan, le Cap Corse.

Les régions agricoles du nord de l'île, riches en traditions, comptaient autrefois parmi les plus riches de la Corse. Vergers et potagers, ravissants villages, magnifiques églises et mausolées en témoignent encore aujourd'hui. Mais encore à ce jour, de nombreuses jeunes familles vont travailler sur le continent ou dans les centres touristiques de la côte, obligeant certaines communes à se battre pour survivre.

Cet exode rural se manifeste surtout à l'extrême-nord du **Cap Corse**. Les cultures en terrasses, envahies par le maquis, les églises et les maisons délabrées et surtout les versants de montagne ravagés par les incendies dominent souvent le paysage. Malgré cela, il est conseillé de visiter la pointe nord de la Corse qui offre en dehors des villages pittoresques comme *Erbalunga*, *Sisco*, *Centuri-Port*, *Pino* et *Nonza*, également quelques plages de sable peu fréquentées entre *Macinaggio* et *Barcaggio*. L'un des plus beaux belvédères de l'île est le *Serra di Pigno*, 961 m (à 4 km du Col de Teghime), duquel nous avons une belle vue sur Bastia, l'Etang de Biguglia et le Golfe de St-Florent. Les belvédères du *Moulin Mattei* près de Centuri et la *Tour de Sénèque* au Col de Santa Lucia sont aussi à voir.

La vieille ville de Bastia vue depuis le port.

Au sud-ouest succède le **Nebbio** qui forme autour du Golfe de St-Florent comme une sorte de coquillage. La ravissante petite ville portuaire de *St-Florent* se pointe ici pleine de promesses au milieu de collines désertiques, autour du bassin de l'Aliso. Au cours d'une excursion vers les villages du Nebbio, il est conseillé de faire un détour pour visiter l'église pisane San Michele (12ème siècle) à *Murato* et programmer en même temps une dégustation de vins dans l'une des nombreuses caves à vin de *Patrimonio*. Le **Désert** voisin **des Agriates**, paysage de collines presque inhabité et couvert de maquis, n'est pas sans intérêt comme l'ascension de la Cima di u Pesu, 429 m (à partir du Bocca di Vezzu, 311 m, 30 mn). Cependant, la véritable attraction des Agriates, ce sont les plages de Loto, Saleccia et Malfalco.

La ravissante petite ville portuaire de St-Florent.

La « skyline » de Calvi avec la crête principale et le Monte Cinto juste derrière le golfe.

L'*Ostriconi* se jetant dans la mer près de la plage remblayée de Peraiola, forme la frontière naturelle de la **Balagne**. D'immenses plages de sable, de douces chaînes de collines, des villages de montagne pittoresques et panoramiques ainsi que les montagnes autour du Monte Grosso éloignées de quelques kilomètres et souvent enneigées jusqu'au mois de mai, nous font comprendre la beauté de la « Montagne dans la Mer ». En outre, la Balagne possède quelques stations balnéaires idylliques et très fréquentées comme les petites villes portuaires de *Calvi*, *Algajola* et L'*Île-Rousse*. Au cours des randonnées à travers la Balagne, vous ferez connaissance avec quelques coins intéressants de cette région agricole. Il existe pourtant d'autres lieux d'excursion intéressants pour le randonneur. L'un d'eux est la Forêt de Tartagine, d'où l'on peut entreprendre l'ascension du *Monte Padru*, 2390 m, le bastion du nord de la principale chaîne dorsale de la Corse (4h30 depuis la maison forestière de Tartagine, escalade facile par endroits). L'ascension du *Monte Grosso*, 1937 m (5h aller), ou du *Capu di Ruia*, 1194 m (3h aller, partiellement mal balisé) sont aussi à faire depuis Calenzana. Pour finir, le *Fango* avec ses affluents nous invite à d'exquises randonnées (Barghiana – Bocca di Capronale – Refuge de Puscaghia, 3h aller) et mérite une mention spéciale.
Au sud de *Bastia* (penser à flâner dans la vieille ville autour de l'ancien port de pêche), la région des collines de la **Casinca** et de la **Castagniccia** (petite châtaigneraie). Dans les verdoyantes châtaigneraies et hêtraies se cachent d'aimables villages. Partout, nous rencontrons des cochons, des chèvres, des vaches et des ânes. Toute cette scène est dominée par le *Monte San Petrone* dont le sommet semblable à une tête de tortue émerge d'une carapace rocheuse et surveille ce paysage calme et serein. Visitez absolument les jolis villages de montagne, encore dans leur beauté originelle, qui se terminent en « di-Casinca » ainsi que *Vescovato*, *Morosaglia*, *La Porta*, *Piedicroce* et *Cervione*.

Un mont panoramique très fréquenté sur le Cap Corse

Le Monte Stello nous offre une vue splendide sur une grande partie de la Corse du nord et sur le Cap Corse. La montée emprunte le sentier bien balisé de Pozzo ; pour le retour, suivre l'itinéraire de randonnée vers Silgaggia.

Point de départ : Parking 100 m avant la place du village de Pozzo, 277 m, bourg accueillant au-dessus d'Erbalunga sur la côte est du Cap Corse.

Dénivelée : 1100 m.
Difficulté : Randonnée facile sur un chemin bien balisé qui exige un peu de condition physique.
Halte et hébergement : Bar-restaurant à Pozzo et Silgaggia, hôtels et campings près de la côte.
Carte : ign 4347 OT (1:25 000).

Près de l'église située en bordure de la route de passage, une petite route se détache vers la place du village de **Pozzo** (panneau « Monte Stellu », parking 200 m plus loin à droite). De la place, nous empruntons tout droit le chemin en escalier et nous suivons le balisage orange à travers la localité. Peu après les dernières habitations, notre itinéraire rejoint un chemin carrossable transversal que nous suivons pendant 3 mn sur la gauche jusqu'à un sentier distinct (marches) qui conduit vers Monte Stello (panneau). Il monte doucement à travers le maquis et s'étire en permanence sur les hauteurs du côté droit de la vallée. Au bout d'environ 1h45, nous dépassons une source, puis juste après, la cabane en pierre de la **Bergerie de Teghime**. Après 30 mn supplémentaires, nous atteignons le col de **Bocca di Santa Maria**, 1097 m. Le chemin balisé en orange descend pendant quelques minutes de l'autre côté de la crête, puis traverse le versant sur la droite (chemin vers la Chapelle St-Jean à gauche et juste après vers Olmeta/Nonza).

Le sentier monte directement vers le sommet du **Monte Stello**, pour gravir finalement ce dernier par la crête nord (un chemin balisé en jaune-rouge venant de Silgaggia nous rejoint sur la terrasse 20 m en contrebas du sommet).

Vue panoramique vers le sud depuis le sommet. – Photo en bas : Descente vers Silgaggia.

Pour le retour, nous prenons le chemin vers Silgaggia (seulement si la visibilité est bonne !). Balisé en jaune-rouge au début puis plus tard en orange, il descend sur la crête vers le nord-est et ensuite vers l'est (Attention : ne pas prendre à gauche le chemin balisé en rouge quelques minutes plus tard !). Après environ 20 mn, la crête s'aplanit et nous passons une croupe rocheuse. 50 m plus loin, l'itinéraire balisé ici avec des piquets s'éloigne de la crête sur la dr   oite, puis la retrouve par la gauche après une belle traversée (source) via un plateau rocheux pour y déboucher sur un **chemin carrossable** qui s'achève ici (925 m ; 45 mn depuis le sommet). Ce chemin se faufile (à droite au bout de 100 m) après 30 mn entre deux pylônes haute tension et nous prenons à droite un chemin carrossable balisé en jaune qui descend vers **Silgaggia**, 300 m (40 mn). D'ici, nous suivons la route pour retourner à **Pozzo** (30 mn/2,3 km ; tourner toujours à droite aux croisements).

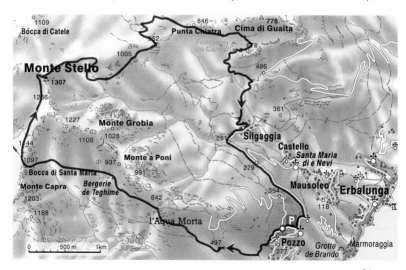

21

Randonnée côtière populaire vers la pointe nord du Cap Corse

Le Sentier des Douaniers est l'un des itinéraires côtiers les plus connus de Corse – il relie les villages de Macinaggio et Centuri à la pointe nord du Cap Corse. En raison de la durée de cette randonnée (7 à 8h) et de l'absence d'un bus faisant la liaison entre Centuri et Macinaggio, nous nous contenterons du tronçon, très beau mais aussi très fréquenté, jusqu'à Barcaggio, qui offre des vues superbes sur les îles voisines de Capraia et Elbe. Depuis Barcaggio, il est possible de rallier Macinaggio en bateau (réserver), mais la plupart des randonneurs font souvent halte en cours de route dans l'une des belles plages accueillantes ...

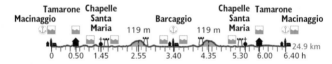

Point de départ : Port de Macinaggio sur la pointe nord du Cap Corse.
Dénivelée : Env. 650 m en tout.
Difficulté : Randonnée facile sur un chemin bien balisé.
Halte et hébergement : Bar-restaurant à Tamarone, bars-restaurants et hôtels à Macinaggio et Barcaggio, camping à Macinaggio.
Variante : De Barcaggio, possibilité de continuer sur le Sentier des Douaniers via Tollare (45 mn, très joli !) jusqu'à Centuri-Port (4h45 depuis Barcaggio).
Remarques : En saison, le bateau « U San Paulu » fait la navette entre Macinaggio et Barcaggio. Aller (tlj à 11/15h30) ou retour (tlj à 12/16h30) en bateau (réservation indispensable : tél. 04 95 35 07 09 / 06 14 78 14 16, www.sanpaulu.com). Pour un circuit moins long, faire demi-tour vers Macinaggio à la Chapelle Santa Maria (3h en tout).
Carte : ign 4347 OT (1:25 000).

Nous démarrons la randonnée au port de **Macinaggio** près de l'embarcadère de la navette « U San Paulu » qui circule en saison entre Macinaggio et Barcaggio →Remarques). Nous suivons au départ la grand-rue direction Rogliano jusqu'à un virage à gauche où nous continuons tout droit sur la petite route le long du port. L'itinéraire court ensuite directement sur la plage de sable. Arrivé au bout, un joli sentier pédestre continue et se divise immédiatement – nous montons ici à droite jusqu'à la **Punta di a Coscia** (mât de bateau et canons, belle vue sur la Baie de Macinaggio) et rejoignons par le

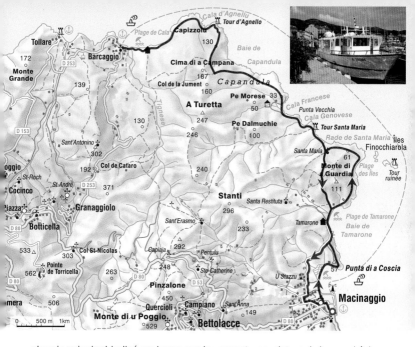

chemin principal balisé en jaune sur le versant une piste qui descend à la sublime **Plage de Tamarone** – au bout de la piste, deux restaurants attendent les excursionnistes sur la plage. Le Sentier des Douaniers continue le long de la plage. Juste avant d'arriver au bout, un sentier se détache à gauche par l'arrière-pays vers la Chapelle Santa Maria, mais nous restons sur le sentier côtier, plus beau. Il franchit au bout de la baie une barrière puis arrive après 15 mn à la **Plage des Îles**, étroite bande de sable juste en face des Îles Finocchiarola. **Santa Maria della Chiappella** est maintenant à un bon quart d'heure d'ici (prendre à gauche au dernier croisement). Une fois à la chapelle romane, nous nous engageons à droite dans un large chemin, en passant par la plage, pour aller à la **Tour Santa Maria** proche d'ici.

La magnifique plage de Tamarone.

5 mn après la tour, l'itinéraire traverse

Poste de guet à la pointe nord de la Corse – la Tour d'Agnello. Au second plan, l'île Giraglia.

une belle plage de sable (**Cala Genovese**) ; 5 bonnes mn plus tard, un sentier oblique à droite vers la **Cala Francese** où se trouve une petite lagune (cabane tout droit en bordure du large chemin). Au bout d'environ 20 mn, nous longeons les impressionnantes falaises de **Capandula**, puis le sentier côtier monte brusquement (100 m de dénivelée) pour rejoindre une crête depuis laquelle nous entrevoyons pour la première fois Barcaggio et l'île Giraglia en face. Nous continuons maintenant à droite sur la crête en contrehaut de la côte escarpée et descendons à la **Tour d'Agnello**. Nous longeons bientôt la **Cala d'Agnellu** (jolies baies rocheuses/sablonneuses). Le chemin se redresse encore une fois brièvement vers Capizzolu puis il rejoint, après des genévriers noueux, la magnifique plage de dunes de Barcaggio (Plage de Cala) où un agréable restaurant nous attend – nous continuons sur la plage, passons devant un snack-bar et rejoignons enfin **Barcaggio**.

L'itinéraire pour le retour est identique, mais arrivé à la Chapelle Santa Maria, nous restons sur le large chemin qui traverse directement les terres pour rejoindre la plage de Tamarone (continuer tout droit après env. 20 mn par une porte à claire-voie). Après Tamarone, nous ne quittons pas la piste qui nous ramène tranquillement par l'arrière-pays et le camping « U Stazzu » vers **Macinaggio**.

De St-Florent à la Punta Mortella   3

Randonnée côtière vers des plages de sable vierges dans le Désert des Agriates

Pendant cette promenade, nous sommes attirés par de nombreuses baies de sable isolées uniquement accessibles à pied par des sentiers bien tracés ou par bateau. La plus belle est sans doute celle de Loto qui pendant la saison accueille également des bateaux d'excursion (→variante).

Point de départ : Parking au port de St-Florent. Ou parking au-dessus de l'Anse de Fornali, accès par la piste caillouteuse (cf. ci-dessous, 2h de moins en tout).
Dénivelée : 200 bons m en tout.
Difficulté : Randonnée confortable sur des chemins distincts.
Halte et hébergement : A St-Florent.
Variante : Pendant la saison (mai-sept.), des bateaux d'excursion circulent entre St-Florent et la Plage de Loto. Une pro-

menade vers la Plage de Loto peut alors être conseillée (à peine 1h depuis Punta Mortella) ; retour en bateau – ou départ de la randonnée à la Plage de Loto (acheter un billet à l'avance, si possible la veille).
Depuis cette plage, il est possible également de continuer jusqu'à celle de Saleccia (45 mn par une piste dans les terres, 1h15 par le sentier côtier).
Carte : ign 4348 OT (1:25 000).

A l'embouchure du Buggiu une jolie baie sablonneuse nous attend.

Du centre de **St-Florent**, nous nous tournons vers la grand-route en direction de L'Île Rousse et nous empruntons au port le pont piétonnier qui conduit à droite vers l'autre rive de l'Aliso. Nous marchons ensuite le long de la plage de sable jusqu'au bout. Ici, nous suivons la piste qui conduit entre des terrains clôturés vers l'**Anse de Fornali** (1h). Nous quittons celle-ci au deuxième chemin empierré qui bifurque vers la droite (écriteau « Chemin du Littoral ») et se termine devant la baie. Nous suivons maintenant le sentier bien distinct le long de la mer. Quelques minutes plus tard nous franchissons une porte à claire-voie. Le chemin de randonnée s'étire maintenant pendant un bon quart d'heure sur un terrain privé (ne pas quitter le sentier côtier !) puis vient une autre porte à claire-voie. Nous continuons peu après à droite par le sentier côtier vers la paradisiaque petite plage de dunes à **l'embouchure de la Plage de Buggiu** (2h). C'est probablement la plus belle plage le long de ce parcours. Mais comme les goûts ne se discutent pas, continuons notre route : 20 mn plus tard, à **l'embouchure de la Plage de**

Débarquement sur la plage paradisiaque de Loto.

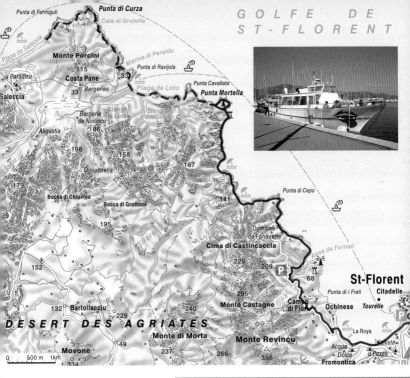

Santu, nous atteignons la grande baie de sable après quelques jolis rubans sablonneux. Il est possible aussi de continuer jusqu'au phare à la **Punta Mortella** (35 mn ; si l'eau à l'embouchure du Santu est très profonde, suivre alors la rive un moment vers les terres jusqu'à ce qu'il soit possible de traverser par un gué).

La plage de Loto est très populaire auprès des excursionnistes mais aussi des vaches.

27

Sommet panoramique très romantique au-dessus de la côte est

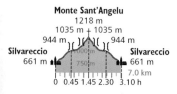

Le Monte Sant'Angelu est une montagne panoramique grandiose tout comme son voisin célèbre le Monte San Petrone (itin. 5). Par beau temps, la vue s'étend du Cap Corse vers Bastia, la côte est et les villages de Casinca jusqu'aux plus hautes montagnes du nord de l'île. Son ascension est possible sur les deux faces – depuis Loreto-di-CasincaLoreto ou Silvareccio. Nous optons pour la variante qui part de Silvareccio car les problèmes d'orientation sont moins nombreux et l'imposant sommet rocheux se présente ici dans toute sa splendeur.

Point de départ : Bar à Silvareccio, 661 m, village typique de la région de Casinca (accès via Venzolasca – Loreto ou Castellare – Penta).
Dénivelée : Env. 600 m.
Difficulté : Promenade facile mais sentier parfois peu distinct.
Halte et hébergement : Bar à Silvareccio, hôtels et campings le long de la côte.
Carte : ign 4349 OT (1:25 000).

50 m avant le bar à **Silvareccio**, l'itinéraire de randonnée balisé en rouge/orange se détache à droite (écriteau »San Anghjulu«). Au bout de 10 m, il monte à droite entre des murs en pierre puis oblique à gauche après une porte à claire-voie. Après quelques minutes, il tourne à droite (attention au balisage orange/jaune, parfois fait de flèches) puis il continue à monter à gauche dans la forêt de feuillus. Après 15 bonnes mn, un chemin venant de gauche nous rejoint devant le ruisseau d'Acqua Freddola. Le chemin monte maintenant le long du cours d'eau et se divise au bout de 5 mn – nous montons ici à droite (pas à gauche par le ruisseau) à travers une belle châtaigneraie peuplée de fougères. A l'orée supérieure de la forêt, l'itinéraire de randonnée oblique à gauche (un chemin se

Juste avant le sommet, le chemin traverse une féérique forêt de chênes rouvres.

détache à droite) puis rejoint juste après un large col, 944 m (croix), d'où nous avons une vue magnifique sur l'imposante paroi du Monte Sant' Angelu. Nous poursuivons notre route à droite en montant légèrement vers le sommet puis à gauche sous la paroi dans une longue traversée à travers bois (ne pas tourner brusquement à droite 5 mn plus tard). Après 10 bonnes mn,

le chemin oblique à droite, monte le long d'un vallon et rejoint au bout de 10 autres mn un **col**, 1035 m, à côté d'une maison en pierre délabrée (le chemin de Loreto débouche à gauche). La montée se poursuit ici à droite sur le joli chemin orange/jaune qui mène en longeant une clôture sur la crête de la montagne vers le ressaut sommital du **Monte Sant' Angelu** (10 mn). Après une brève montée sur des rochers nous atteignons par la crête boisée le petit plateau du sommet (20 mn).

Superbe sommet panoramique dans le paysage verdoyant et ondoyant de la Castagniccia

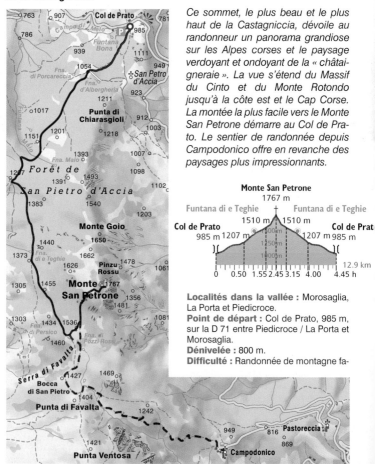

Ce sommet, le plus beau et le plus haut de la Castagniccia, dévoile au randonneur un panorama grandiose sur les Alpes corses et le paysage verdoyant et ondoyant de la « châtaigneraie ». La vue s'étend du Massif du Cinto et du Monte Rotondo jusqu'à la côte est et le Cap Corse. La montée la plus facile vers le Monte San Petrone démarre au Col de Prato. Le sentier de randonnée depuis Campodonico offre en revanche des paysages plus impressionnants.

Monte San Petrone
1767 m

Funtana di e Teghie   Funtana di e Teghie
1510 m   1510 m

Col de Prato   Col de Prat
985 m 1207 m   1207 m 985 m

12.9 km
0   0.50   1.55 2.45 3.15   4.00   4.45 h

Localités dans la vallée : Morosaglia, La Porta et Piedicroce.
Point de départ : Col de Prato, 985 m, sur la D 71 entre Piedicroce / La Porta et Morosaglia.
Dénivelée : 800 m.
Difficulté : Randonnée de montagne fa-

Le Monte San Petrone vu de la route Piedicroce – Col de Prato. L'imposant sommet s'élève comme une tête de tortue au-dessus de la cuirasse rocheuse.

cile sur des chemins bien balisés.

Halte et hébergement : Snack-bar au départ, restaurants et hôtels dans les localités de la vallée.

Variante : Montée de Campodonico (4 h 45) : depuis le parking situé 100 m avant le village, on suit la route vers le village et on tourne avant l'église sur la droite pour suivre le sentier de randonnée balisé en orange. L'ancien chemin souvent pavé s'étire tout droit sur le versant (au bout de quelques minutes, un sentier de randonnée monte à droite vers Campana) et s'enfonce bientôt dans la forêt ombragée. Après 20 mn, le chemin se di

vise – continuer ici tout droit sur le sentier nettement plus étroit. 30 bonnes mn plus tard, on traverse un petit plateau herbeux (halte !). Peu après, le chemin s'aplanit et se divise avant d'arriver au ruisseau – on continue ici à droite le long du cours d'eau avant de le franchir près d'une bergerie (sous de magnifiques hêtres noueux) ; on passe à droite de la bergerie délabrée (source) et on monte à gauche de la cuvette couverte de prés (bien retenir le chemin suivant pour le retour !). Avant que le chemin descende doucement (Bocca di San Pietro), on prend à droite le sentier qui monte par la large crête jusqu'à un bosquet de hêtres – avant d'y arriver, on monte à droite au cœur d'un décor rocheux au romantisme sauvage après une bergerie (source). Le chemin continue à l'écart de la hêtraie et la croise que quelques minutes plus tard pour rejoindre le sommet de la crête suivant avec le sentier de randonnée depuis le Col de Prato. On continue ici à droite jusqu'au Monte San Petrone (cf. ci-dessous).

Cartes : ign 4349 OT, 4351 OT (1:25 000).

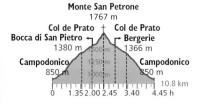

Monte San Petrone
1767 m

Col de Prato   Col de Prato
Bocca di San Pietro →   ← Bergerie
1380 m   1500 m   1366 m

Campodonico   1250 m   Campodonico
850 m   1000 m   850 m

10.8 km

0   1.35 2.00 2.45 3.40   4.45 h

Au sommet du Monte San Petrone – en cours de journée, il disparaît souvent sous les nuages.

Le chemin de randonnée indiqué par des écriteaux commence entre les maisons à hauteur du **col**. Il emprunte une route forestière qui monte doucement et que nous suivons tout droit vers le sud. Au bout de 15 mn, la route forestière pénètre dans une pinède clairsemée (ici, au croisement, continuer à monter tout droit/légèrement à gauche) où les pins sont bientôt remplacés par de splendides hêtres. Nous rencontrons régulièrement des cochons en liberté à moitié sauvages. Après trois bons quarts d'heure, nous atteignons une **croupe** peu profilée, 1207 m, sur laquelle nous bifurquons à gauche dans le sentier balisé en rouge (panneau « San Petron »). La montée, en grande partie aisée, nous conduit d'abord à travers une pinède puis aussitôt après à nouveau à travers une hêtraie. Au bout de 30 mn, le chemin s'étire juste au-dessus d'une source. Une bonne demi-heure plus tard, nous arrivons sur la **crête**, 1510 m, dans une clairière inondée de soleil. Un chemin continue en ligne droite (à droite) vers Campodonico, mais nous restons à gauche (direction nord) sur le chemin balisé en rouge qui se dirige bientôt à nouveau à gauche vers la forêt de hêtres. Après un plat, il se redresse et nous mène finalement vers le sommet par la droite. Une petite partie d'escalade facile est nécessaire pour atteindre le point culminant du **Monte San Petrone**. Un peu à l'écart du sommet, nous découvrons une croix en fer forgée avec une sculpture emmurée du San Petru.

Belvédère de Cervione, 632 m   6

Belvédère au-dessus des plages de sable sans fin de la côte est

Le Belvédère de Cervione est un point de vue facilement accessible qui offre au randonneur une vue plongeante et dégagée sur les plages situées entre les lacs lagunaires de Biguglia et de Diane. L'atmosphère est surtout impressionnante vers le soir quand le soleil disparaît derrière nous dans les montagnes pendant que l'horizon se perd dans la brume.

Point de départ : Grand-route à Cervione, 320 m, principale localité de la Castagniccia.

Dénivelée : 450 bons m.

Difficulté : Parcours facile, sentier parfois absent entre le Belvédère de Cervione et la Chapelle a Madonna.

Halte et hébergement : Restaurant a Scupiccia près de la chapelle (ouvert 20/06–25/08. Bars, restaurants et hôtels à Cervione.

Variante : Circuit via Santa-Maria-Poggio (5h en tout) : 200 m après la chapelle, un sentier quitte la piste à droite (écriteau « Castellu », balisage orange). Il rejoint en 50 mn un vaste col envahi de fougères et de genêts, 1003 m, entre l'imposant Castellu (à gauche) et le quelque peu rocailleux Monte Negrine (à droite). Continuer ici tout droit (Mare a Mare maintenant) puis tourner à droite à la bifurcation 5 mn plus tard en direction de Funtana di Felicio (écriteau le Mare a Mare oblique à gauche). Le chemin balisé en orange franchit après 15 mn la crête et se divise après 5 mn (Col de Felicione). Continuer ici aussi tout droit (à droite) vers Santa-Maria-Poggio (écriteau). Le chemin passe après 5 mn à droite

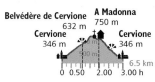

d'une cabane en pierres. 15 mn plus tard, il tourne à droite près d'une selle avant un petit sommet rocheux. Au bout de 30 mn tout juste, il passe par un belvédère avec vue sur Poggio et juste après sur l'imposant rocher (prendre ici à droite). 20 mn plus tard, avancer sur le chemin de randonnée en contre-haut de la bourgade (écriteau indiquant Cervione) qui retourne à Cervione par de constantes montées et descentes à l'ombre d'une forêt de chênes lièges (continuer tout droit sur la route jusqu'à la grand-route après 25 mn).

Carte : ign 4351 OT (1:25 000).

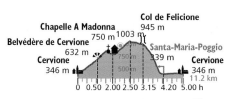

Belvédère de Cervione.

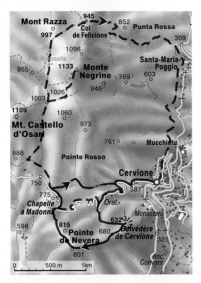

Nous nous garons dans la grand-rue à **Cervione** d'où nous avons déjà une belle vue sur la côte. Au bout de la promenade direction Piedicroce, avant un virage à gauche (à la sortie du village), une petite route plus escarpée bifurque tout à droite (Traversa François Giacobbi). Nous nous y engageons puis nous prenons la première petite route qui la quitte à gauche, la « *Strada MSG T. Struzzieri* » vers l'église Scupiccia (balisage orange). Au bout de 30 mn – 5 mn après un oratoire – nous arrivons dans un virage à droite brusque à la bifurcation d'un sentier bien balisé. Il grimpe, en se dirigeant à la fourche aussitôt vers la gauche, à travers une forêt vierge ombragée vers la crête clairsemée (15 mn) sur laquelle seuls quelques mètres nous séparent d'un petit **belvédère** entouré d'une balustrade avec une croix.

Il y a deux possibilités pour continuer jusqu'à la Chapelle a Madonna : soit retourner à la piste et monter par celle-ci à la chapelle (45 mn env., plus aisé), soit suivre le sentier en montant directement par la crête (un peu embroussaillé avec escalade facile ; balisage rouge, faire bien attention aux repères !) pour arriver, en passant vers la fin devant le terrain des parapentistes, après 45 mn de marche, au point culminant de la crête, 801 m (au nord, légèrement plus haute, la **Pointe de Nevera**, 815 m).

Peu après, on prend légèrement à gauche à la bifurcation et on monte – le long d'une clôture quelques minutes plus tard – avant de prendre la

Vue depuis le chemin de randonnée sur Cervione.

piste à gauche pour descendre à la **Chapelle a Madonna**, 750 m (20 mn ;
possibilité de manger au Restaurant a Scupiccia).
De la chapelle on peut retourner sans peine par la piste vers Cervione (1h),
mais nous la suivons encore sur 200 m jusqu'à un col (ramification, →Variante).
Nous empruntons ici à droite un large chemin qui s'abaisse. Bientôt plus étroit,
il descend sur le versant gauche de la vallée. 30 mn plus tard (depuis la chapelle), le sentier débouche sur la piste qui nous ramène à **Cervione**.

Punta Liatoghju, 223 m, et Plage d'Ostriconi

Un petit sommet rocheux et deux grandioses plages de sable

Ce petit circuit emporte le randonneur sur de beaux chemins aisés dans le paysage désertique certes aride mais très séduisant des Agriates avec un sommet et de superbes plages de baignade.

Point de départ : Restaurant Jardins de l'Ostriconi sur la grande-route entre Ponte Leccia et Ile-Rousse (N 1197), 500 m à l'est du camping Village d'Ostriconi.
Dénivelée : 400 m.
Difficulté : Facile sauf dans l'ascension rocheuse du sommet. Déconseillé par temps chaud !
Halte et hébergement : Restaurant au point de départ, camping Village de l'Ostriconi à l'embouchure de l'Ostriconi.
Variante: Grand circuit (4h30 en tout) : Continuer sur la piste à l'embranchement du chemin de randonnée vers la Punta

Liatoghju (cf. ci-dessous). Ignorer après 35 mn un sentier légèrement à droite conduisant à une bergerie. 35 mn plus tard, un chemin carrossable se détache à gauche à travers un étroit passage dans le mur – suivre toutefois auparavant la piste puis, au bout de 5 mn, les traces de chemin pour faire un crochet par les bergeries en ruines de Terricie. Continuer ensuite sur le chemin carrossable à travers le passage dans le mur et le suivre tout droit. Il franchit 45 mn plus tard une selle et débouche juste après un passage dans le mur sur un sentier. Ignorer après 5 mn un sentier qui bifurque à droite, traverser une ancienne bergerie et croiser le lit d'un ruisseau. Arrivée 20 mn plus tard à la plage de Vana (cf. ci-dessous).
Carte: ign 4249 OT (1:25 000).

Depuis le **parking** près du restaurant, nous faisons quelques pas dans la grand-rue en direction d'Ostriconi puis nous tournons à droite dans le chemin carrossable pareil à un chemin creux (écriteau »Agriate«, possibilité de se garer sous des eucalyptus). Au bout de quelques minutes, il franchit le ruisseau de Vadellare. Dans le virage suivant nous ignorons un sentier qui conduit à gauche à la plage d'Ostriconi. Nous passons peu après devant une maison en pierres puis, après quelques minutes, devant une maison construite dans la roche – on prend ici à mi-gauche le chemin de ran-

La randonnée mène à deux plages de dunes : la plage d'Ostriconi (en haut) et l'Anse de Vana (en bas).

donnée vers la Punta Liatoghju (poteau ; tout droit →Variante). Il commence par s'étirer parallèlement à la piste pendant 20 mn jusqu'à un vallon pour monter à travers un large couloir sous l'ombre des arbres jusqu'à une **selle** (170 m) à côté de la Cima a Forca (un sentier interdit d'accès monte à gauche jusqu'au sommet, 15 mn aller/retour).

Le chemin descend tout droit du côté opposé et longe quelques minutes plus tard deux maisons en pierres et une ancienne aire de battage. Juste après il se divise : le sentier à gauche s'étire direction Gradu (suite du parcours plus tard), celui tout droit continue jusqu'à la Punta Liatoghju. Le sentier monte bientôt à travers un couloir ombragé jusqu'à l'arête rocheuse puis, par un tracé un peu plus difficile, jusqu'au sommet de la **Punta Liatoghju**, 223 m. Il met à vos pieds l'Anse de Peraiola avec la plage d'Ostriconi mais la vue sur le Monte Padru et le Monte Astu est également superbe.

Il est malheureusement officiellement interdit de continuer sur la crête en direction de la côte et nous devons donc retourner au dernier croisement où nous prenons à droite le chemin direction Gradu. Il frôle brièvement au bout de 10 mn le lit du ruisseau puis débouche 10 mn plus tard près d'une barrière sur le sentier littoral : à gauche, on retourne au chemin carrossable et au point de départ (25 mn), à droite, on arrive en 10 bonnes mn à l'extrémité nord de la **plage d'Ostriconi** longue d'environ 750 m. De là, le sentier littoral conduit en 20 mn à la non moins belle **plage de Vana**.

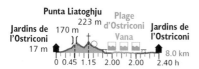

Un morceau de choix pour les randonneurs amateurs de belles choses !

L'itinéraire de randonnée sur le Monte Astu peut être considéré, sans exagération, comme l'un des plus beaux de Corse. L'ancien chemin bordé de cistes aux fleurs blanches et violettes qui démarre dans le charmant village de Lama monte au cœur d'un merveilleux décor, jusqu'au Refuge du Prunincu, magnifiquement situé. L'ascension n'est plus aussi belle par la suite mais le panorama depuis le sommet est grandiose.

Point de départ : Eglise à Lama, 502 m, joli village panoramique au-dessus de la grand-route Ponte Leccia – L'Île-Rousse (N 1197).
Dénivelée : Env. 1100 m.
Difficulté : Facile jusqu'au refuge. Le parcours est ensuite plus embroussaillé et plus difficile, surtout par mauvaise visibilité. Ombre rare, mieux vaut partir tôt (éviter par temps très chaud !).

Halte et hébergement : Bars, restaurants et gîtes à Lama, camping Village de l'Ostriconi à l'embouchure de l'Ostriconi.
Remarque importante : En raison du risque de brûlures dû à des plantes ressemblant au fenouil en bordure du chemin (Peucedanum paniculatum), il est fortement recommandé de porter des pantalons longs (infos à l'office de tourisme).

Carte : ign 4348 OT (1:25 000).

Depuis l'église de **Lama**, nous continuons sur la route puis au bout de 100 m, nous prenons à droite le chemin en escalier que nous gravissons à travers le village. Quelques minutes plus tard, nous tombons à la lisière supérieure du village sur une route que nous suivons à gauche pendant 20 m avant d'emprunter à droite le chemin de randonnée menant au Monte Astu (écriteau, balisage jaune). Après quelques minutes, il passe devant une citerne et s'élève tout en offrant une belle vue sur Lama ainsi que sur le Monte Padru et Cinto au-delà de la crête (15 mn plus tard, à droite à la bifurcation ici). Après 30 bonnes mn, nous dépassons une petite source puis, juste après à droite du chemin, un plateau panoramique. 20 bonnes mn plus tard, nous arrivons sur une éminence (910 m, belle aire de repos) – avec un grand panorama jusqu'au Rotondo. Le che-

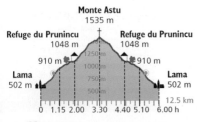

Monte Astu
1535 m

Refuge du Prunincu
1048 m

Refuge du Prunincu
1048 m

910 m

910 m

1250 m

1000 m

750 m

500 m

Lama
502 m

Lama
502 m

12.5 km

0   1.15 2.00   3.30   4.40 5.10   6.00 h

Le Refuge du Prunincu est magnifiquement situé.

min s'étire ensuite tranquillement à droite sur le versant du Pinzalone et passe après 20 mn entre quatre châtaigniers (continuer tout droit à la bifurcation juste après ; bergerie en contrebas). Au bout de 10 mn, nous arrivons à une arête panoramique et très romantique par laquelle le chemin continue à monter jusqu'au pittoresque Refuge du Prunincu, 1048 m, à côté d'un groupe de rochers (10 mn ; simple abri, ouvert).De nombreux randonneurs font ici demi-tour mais nous continuons notre montée sur la crête, en serrant bientôt un peu à gauche, et nous rejoignons après une demi-heure le **Bocca Tiobuli**, 1238 m, sur la crête principale. Nous continuons ici à monter à droite. Après quelques minutes, nous passons devant une petite cabane en pierre et continuons à gravir la crête jusqu'à un couloir envahi de fougères (attention : ne pas continuer ici tout droit jusqu'à une autre cabane en pierre dans une combe rocheuse, mais prendre à droite le sentier jalonné de cairns !) qui monte en pente raide à gauche de l'arête rocheuse jusqu'à un petit plateau verdoyant derrière un éperon rocheux (30 mn). Le sentier oblique ici vers le côté droit de la crête (vue maintenant sur le Monte Astu) et s'étire sur le versant jusqu'au col plat au pied du sommet (20 mn). De là, un chemin bien balisé gravit l'arête rocheuse jusqu'à la **croix sommitale** (15 mn ; escalade facile en fin de parcours). Le panorama est fantastique, de L'Île-Rousse en passant par les Agriates, St-Florent, le Cap Corse et le Monte San Petrone jusqu'aux sommets culminant à deux mille mètres.

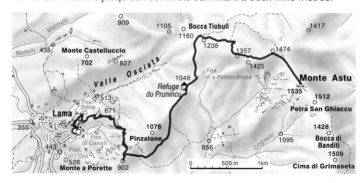

Sur des chemins de randonnée par les villages de la Balagne

La Balagne est l'une des plus anciennes et des plus fertiles régions de Corse. Notre route à travers ce riche paysage frôle de nombreuses églises et couvents ainsi que quelques beaux villages panoramiques qui ont conservé leur caractère originel malgré l'animation qui règne tout près sur la côte. La possibilité de prendre les trains omnibus, les « Tramways de Balagne »qui relient les villages côtiers de Calvi, Lumio, Algajola et l'Île-Rousse, donne un attrait spécial à cette randonnée.

Point de départ : Lumio, 185 m, village situé dans un site panoramique merveilleux entre Calvi et Algajola. Gare ferroviaire Ondari-Arinella des « Tramways de Balagne » à 40 mn de marche en contrebas du village (plusieurs trains par jour).

Arrivée : Algajola, station balnéaire avec une grande plage de sable. Station ferroviaire des « Tramways de Balagne » (plu-

sieurs trains par jour en haute saison).

Dénivelée : 1000 m.

Difficulté : Parcours en général facile, bonne endurance nécessaire.

Halte : Nombreux bars et restaurants en cours de route.

Variantes : Possibilité de commencer la randonnée à Algajola au lieu de Lumio : de la gare à la grand-route direction L'Île

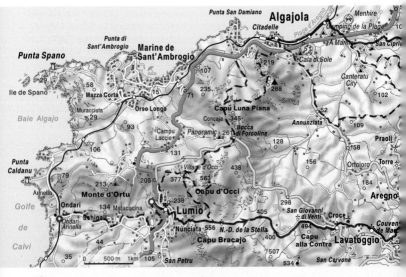

Rousse, tourner peu après à droite dans la petite route (D 551) vers Aregno (1h15). – Du Couvent de Corbara, il est possible aussi d'aller à Algajola (1h15) par le village d'artistes de Pigna (30 mn), puis en suivant un chemin vicinal (à droite du parking situé à l'entrée du bourg et en bifurquant à gauche juste après). – Possibilité de descendre du pied du Monte Sant'Angelo (1h30) ou de Corbara (1h15) vers L'Île-Rousse.

Cartes : ign 4149 OT, 4249 OT (1:25 000).

De l'église de **Lumio** on suit la route sur une centaine de mètres avant de monter à gauche, près de l'épicerie, jusqu'à la rue du village en haut. Au bout de 50 m ici à droite, le chemin de randonnée commence à gauche (écriteau « Chemin de Randonnée », balisage rouge ; juste en-dessous de l'étrange tour tout en haut du village côté sud-est). Le chemin localement pavé monte jusqu'au grand col, 402 m (30 bonnes mn) entre le Capu d'Occi, 563 m (à gauche) et le Capu Bracajo, 556 m (à droite) duquel nous jetons un dernier regard sur la baie de Calvi. 5 mn après le col, nous atteignons la **Chapelle Notre-Dame-de-la-Stella**. Un chemin carrossable clôturé des deux côtés (refermer la porte à claire-voie) continue ici et nous conduit en 35 mn à la Chapelle San Giovanni di Venti. Peu après, la petite route descend vers **Lavatoggio** (15 mn) tout en offrant une vue magnifique sur Aregno, Sant'Antonino et le Monte Sant'Angelo. En contrebas de l'église, nous tombons sur la grand-rue que nous suivons à gauche sur 25 m avant de bifurquer brusquement à droite dans la petite rue qui descend. Après quelques minutes, un large chemin bordé de murs de pierre se détache à un rétrécissement de la rue sur la droite et franchit au bout de 100 m un petit ruisseau (tourner ici à droite à la bifurcation) avant de gravir le versant. Au bout de 5 mn, le chemin maintenant plus étroit croise un chemin carrossable (pas à gauche / à droite !) et, 10 mn plus tard environ, nous arrivons au Couvent de Marcasso. Nous poursuivons la randonnée sur la route d'accès et nous allons tout droit vers **Cateri** à la ramification de droite vers la D 71. Ici, à la croisée des routes près de l'hôtel « U San Dume »(restaurant « Chez Léon »), nous descendons à gauche. 30 mn plus tard, un joli chemin pavé de pierres se détache à gauche et nous l'empruntons pour continuer la descente. Après quelques minutes, nous tournons à droite à la bifurcation – après être monté de quelques mètres, l'étroit chemin descend par des lacets escarpés dans le fond d'une petite vallée (porte à claire-voie) et met directement le cap, une fois le côté opposé de la vallée, sur Aregno en passant par le versant. A la grande bifurcation 5 mn plus tard, nous continuons tout droit, à la suivante au bout de 5 mn, nous montons doucement légèrement à droite et nous marchons tout droit à travers le vallon (puits) jusqu'à **Aregno**. Nous montons maintenant jusqu'à la grand-place avec l'église (bar) par la petite rue voire l'escalier à travers le bourg pittoresque, puis nous continuons tout droit dans la ruelle qui monte jusqu'à l'Eglise de la Trinité (12ème siècle) en bordure de la grand-rue.

A gauche du mur du cimetière de l'église de la Trinité, nous empruntons un chemin carrossable et montons 50 m plus loin par un sentier à droite (au bout de quelques minutes à la bifurcation gauche-droite) vers **Sant'Antonino**, 497 m. Juste avant d'arriver au village, nous traversons la route et arrivons par la gauche au parking près de l'église (35 mn). A cause de ses jolies ruelles et de ses nombreux points de vue, on peut considérer Sant'Antonio comme l'un des plus beaux villages de l'île.

La charmante Eglise de la Trinité à Aregno – l'édifice de style roman pisan a été construit avec des pierres de couleur.

Du parking, un chemin carrossable passe à gauche de l'église avant de se diviser après quelques minutes : à gauche, on rejoint quelques caveaux funéraires d'où un sentier conduit ensuite vers le Couvent de Corbara (100 m avant celui-ci, un chemin mène à droite vers le Monte Sant'Angelo), mais nous emprun-

Vue depuis le chemin de randonnée sur le Monte Sant'Angelo et le Couvent de Corbara.

tons à droite la voie carrossable qui nous conduit tout droit en passant par la crête directement au pied du sommet du Monte Sant'Angelo. Près d'une maison délabrée (35 mn), nous quittons la voie carrossable à gauche par un chemin (clôture) qui débouche aussitôt sur une petite prairie. Ici, nous suivons les traces bien visibles d'un sentier qui monte à droite après la murette de pierres tout près de la crête (balisage rouge et blanc). Une demi-heure plus tard, nous nous trouvons au point culminant des trois sommets du **Monte Sant'Angelo**, 562 m. Une splendide vue panoramique nous attend – en bas, sur la côte d'Algajola, de L'Île-Rousse aux Agriates et de l'autre côté, le Monte Grosso.

La descente vers le Couvent de Corbara s'effectue d'abord par le chemin de la montée. Près de la petite prairie, nous tournons à droite et traversons sur une sente le haut plateau (passage par une brèche dans la clôture à mi-chemin) vers la gauche, puis nous atteignons un chemin flanqué de murettes (on y arrive aussi en rebroussant chemin pendant 5 bonnes mn sur la piste carrossable puis en passant par la clôture) par lequel nous descendons vers le **Couvent de Corbara**, 298 m, fondé par les Franciscains en 1456 (35 mn, tourner à droite à la bifurcation à la fin). Nous continuons après le couvent pour arriver à la route principale où nous tournons à droite (direction Pigna à gauche) vers **Corbara** (20 mn).

Nous tournons à gauche dans la ruelle près du bar-restaurant A Cantina (au tournant à droite, juste après la place sur la grand-rue) qui passe sous deux porches puis descend à gauche vers un puits couvert d'un toit. Ici, nous empruntons à droite l'ancien chemin de jonction confortable pour tomber enfin à gauche par une voie carrossable sur la grand-route très fréquentée L'Île-Rousse – Calvi. Une bonne centaine de mètres avant d'arriver à cette route, un chemin balisé en bleu et bordé de murettes de pierre bifurque à gauche et passe à droite d'un camping. Nous continuons tout droit et nous empruntons pour finir la route pour rejoindre la grand-route (10 mn) sous laquelle nous passons par un tunnel. Un joli chemin herbeux longe le ruisseau et le camping et passe à la fin sous la ligne de chemin de fer jusqu'à la superbe plage de sable d'**Algajola** – nous tournons ici à gauche dans la piste/route jusqu'à la gare dans le village (15 bonnes mn).

Courte randonnée avec des vues grandioses sur la Balagne

Déjà en cours de route, nous apprécions la vue magnifique sur le Monte Padru et le Monte Grosso. Par contre, la vue plongeante du Monte Tolu sur la Balagne et sur de vastes régions de la côte nord-ouest est incomparable et peut être considérée sans exagération comme l'une des plus belles de Corse.

Localité dans la vallée : Speloncato, 553 m, village romantique sorti d'un livre d'images avec de nombreuses vues sur la Balagne.
Point de départ : Bocca di a Battaglia, 1099 m, col entre Speloncato et Olmi-Cappella, belle vue sur la Balagne.
Dénivelée : 300 bons m.
Difficulté : Randonnée facile. Mieux vaut ne pas avoir trop le vertige dans le

bref passage d'escalade au sommet.
Halte et hébergement : Bar-restaurant sur la Bocca di a Battaglia en haute saison. Restaurants et hôtels à Speloncato.
Variante : Depuis le Monte Tolu, il est possible d'atteindre en 1h, le long de la crête (cairns), le sommet du San Parteo, 1680 m.
Carte : ign 4249 OT (1:25 000).

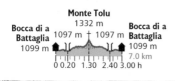

Monte Tolu
1332 m
Bocca di a
Battaglia
1097 m † 1097 m
Bocca di a
Battaglia
1099 m
1099 m
7.0 km
0 0.20 1.30 2.40 3.00 h

Sur le chemin vers le Monte Tolu (au centre, à gauche le San Parteo).

Un chemin vicinal mène du **Bocca di a Battaglia** (porte à claire-voie, balisage orange) direction sud-ouest vers les pylônes se trouvant au-dessus de la route. Nous marchons tranquillement sur la crête vers le **Bocca di Croce d'Olu**, 1097 m (20 mn), où nous tombons près d'une antenne-relais sur un chemin transversal (possibilité de descendre vers Pioggola à gauche, 20 mn). Un sentier bien distinct balisé en orange (en partie herbeux) se faufile droit devant nous par-dessus la crête et traverse, par de légères montées et descentes, la lande, puis, un peu plus tard un escarpement jonché de rochers. On arrive ensuite au col devant le sommet rocailleux du Monte Tolu. Le chemin de randonnée monte à travers le versant jusqu'au col sur la crête derrière – 20 m avant, le chemin pour monter au sommet balisé en orange bifurque à droite : nous montons à travers un couloir (escalade facile, I) vers une brèche peu profilée et après une courte traversée, nous atteignons le **sommet**.

Vue du sommet sur le San Parteo – le Monte Padru à gauche et le Monte Grosso tout à droite.

Randonnée sur le Monte di Calvi

Ceux qui montent tôt ont non seulement une vue grandiose sur le Golfe de Calvi mais ils ont également le temps de paresser quelques heures dans la magnifique baie de Calvi.

Point de départ : Village de vacances « Zum störrischen Esel » (A l'âne têtu) à Calvi en bordure de la grande route menant à L'Île-Rousse, à 1,5 km du centre (20 mn à pied).
Dénivelée : 700 m.
Difficulté : Un peu laborieux, surtout par grande chaleur, mais facile à part quelques petites escalades.
Halte et hébergement : A Calvi.
Carte : ign 4149 OT (1:25 000).

Avant le **village de vacances « Zum störrischen Esel »**, une route quitte la grand-route en direction du sud (panneau « Pietramaggiore ») par laquelle nous atteignons tout droit l'**Hôtel Corsica** (15 bonnes mn). Là, nous gardons la droite jusqu'à ce que la route se partage après 5 mn devant un portail. Le randonneur doit maintenant se décider et continuer soit à gauche par l'itinéraire normal conduisant au Capu di a Veta, soit à droite avec une ascension guère plus longue (100 m sur la route jusqu'à ce qu'un sentier balisé

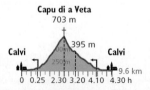

Capu di a Veta
703 m

Vue sur le sommet depuis le champ de pierres dans la descente.

en rouge tourne à gauche dans les taillis de cistes). Nous nous décidons pour l'itinéraire normal et suivons ainsi à gauche la route jusqu'à ce que, 5 mn plus tard environ, un sentier balisé en rouge la quitte à gauche (ne pas suivre le chemin carrossable). Il est quelque peu embroussaillé et se divise après quelques minutes devant une clôture – on prend ici à droite et on longe la clôture transversalement jusqu'à une grande dalle que nous traversons pour continuer l'ascension sur la croupe montagneuse voisine à travers le maquis et des dalles. Après 2h15 au total en prenant à la fin légèrement à droite, nous atteignons la crête. On tourne ici à droite et on monte direction nord-ouest vers le sommet tout proche du **Capu di a Veta** (croix) – un chemin magnifique au milieu de tafoni.

La descente qui commence avec une séquence d'escalades faciles est aussi très variée : tout près de la croix sommitale, on descend par un sentier empierré balisé en rouge. Après la descente abrupte à travers le couloir, il s'étire presqu'en permanence à proximité de la crête et traverse un champ de rochers au romantisme sauvage avec d'énormes dalles (un **pylône haute tension** nous facilite l'orientation). Près du pylône, nous arrivons à un chemin carrossable qui descend en pente raide (possibilité de raccourci par un sentier balisé). 20 mn plus tard environ, on tourne brusquement à droite dans un chemin carrossable (on pourrait continuer tout droit vers la Chapelle Notre-Dame-de-la-Serra, 243 m, et des-

cendre directement vers Calvi) qui rencontre plus bas, près des premières maisons, une route (garder la droite à la fin) qu'on suit à droite vers le portail (voir montée) pour retourner vers le **village de vacances** en passant par l'hôtel Corsica.

Circuit sur des sentiers variés à travers les bois de feuillus et de pins du massif forestier de Bonifatu

Cette randonnée est une vraie alternative au chemin très fréquenté menant jusqu'au Refuge de Carrozzu (itin. 14). De plus, elle offre de beaux points de vue vers la crête principale du Capu Ladroncellu ainsi que vers le Golfe de Calvi.

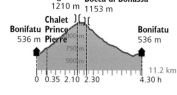

Point de départ : Auberge de la Forêt de Bonifatu, 536 m, 21 km au sud de Calvi (parking payant).
Dénivelée : 650 m.
Difficulté : Circuit facile sur des sentiers bien balisés.
Halte et hébergement : Chambres et restaurant à l'Auberge de la Forêt.

Variante : Possibilité de descente du Bocca di Bonassa par le « Mare e Monti » Mare e Montidans la Vallée du Fango. Seuls les randonneurs chevronnés (escalade facile) peuvent faire le crochet par le Capu Formiculaghiu et le Capu a u Ceppu depuis le Bocca di l'Erbaghiolu.
Carte : ign 4149 OT (1:25 000).

Depuis l'**auberge**, nous reculons d'environ 50 m sur la route jusqu'au pont et bifurquons avant d'y arriver sur la gauche dans le chemin de grande randonnée « Mare e Monti » balisé en orange. Le sentier, au départ un peu caillouteux et abrupt, longe à gauche le ruisseau de Nocaghia (ne pas bifurquer à gauche vers Candia après quelques minutes) et le traverse environ 30 mn plus tard.

Juste après, nous passons devant le chalet Prince Pierre (ruine) puis nous ignorons quelques minutes plus tard un chemin à droite (Boucle de Cataloghiu ; 50 m plus loin, à droite du chemin, vue magnifique au-delà de la Vallée de Figarella vers Calvi). La jolie forêt d'essences variées s'éclaircit peu à peu, permettant d'apercevoir parfois l'insolente Punta Pittinaghia, puis le chemin se rétrécit. A la fin, il monte à travers la pinède en sinuant vers le **Bocca di l'Erbaghiolu**, 1210 m, que l'on remarque à peine. Au loin, le Golfe de Calvi.

Le « Mare e Monti » nous conduit à présent vers le **Bocca di Bonassa** (20 mn, belles aires de repos notamment après le col près du petit refuge). Sur le col, un sentier balisé en rouge bifurque à droite et nous guide à travers de magnifiques pinèdes, parfois enchevêtrées de mousses et de maquis. Juste avant la route (90 bonnes mn), un chemin bifurque à droite vers Bonifatu (écriteau). Il gravit rapidement une crête et rejoint après quelques minutes le circuit de Calatoghiu (descente à gauche) avant de déboucher bientôt, une fois le Nocaghia franchi, sur le chemin de l'ascension qui nous ramène en 15 mn à l'**auberge** par la gauche.

Détour possible par la Punta di Bonassa depuis le Bocca di Bonassa.

6 h 15

Longue montée à travers bois vers le refuge au pied du Capu a u Dente

Le Refuge d'Ortu di u Piobbu, facilement accessible, compte parmi les plus belles cabanes de destination dans le nord de la Corse. Il offre au randonneur de nombreuses possibilités de parcours ; l'ascension du panoramique Monte Corona est recommandée entre autres.

Point de départ : Auberge de la Forêt de Bonifatu, 536 m, 21 km au sud de Calvi (parking payant).

Dénivelée : 1170 m.

Difficulté : Randonnée confortable sur un chemin bien balisé sauf dans la montée finale, un peu laborieuse.

Halte et hébergement : Auberge de la forêt (chambres et restaurant), Refuge d'Ortu (gîte, restauration simple).

Variantes : Montée au Monte Corona, 2144 m (1h20 aller, vue magnifique) : monter par un chemin balisé en jaune derrière le Refuge d'Ortu, prendre à droite à la bifurcation au bout de 15 mn, vers le Bocca di Tartagine, 1852 m (40 mn) et se diriger à droite par la crête (aucune difficulté) vers le sommet (40 mn).

Circuit (2 à 3 jours) : du Refuge d'Ortu au Refuge de Carrozzu (GR 20, 6h30, partiellement escarpé) et retour vers l'auberge par l'itinéraire.

Carte : ign 4250 OT (1:25 000).

Juste après le parking, nous franchissons la Figarella par une passerelle.

Nous descendons derrière l'**auberge** à gauche par la route empierrée balisée en rouge/jaune jusqu'en bas du parking en terrasses. C'est ici que commence l'itinéraire de randonnée (écriteau « Boucle des Finocchi ») qui franchit au bout de 5 mn le ruisseau de la Figarella par une passerelle. Après 1 mn, nous continuons à droite à la bifurcation (jaune/rouge) à l'ombre d'une forêt et nous arrivons 45 mn plus tard à un col plat, 743 m. Nous prenons ici légèrement à gauche direction « Ortu di u Piobbu » (possibilité de retourner à droite à Bonifato avec la « Boucle de Ficaghiola », durée totale du circuit 1h30). Le chemin poursuit sa montée tranquille et sinueuse sur une crête – vue splendide sur le bassin de Bonifato – puis se divise encore 30 mn plus tard (possibilité de retourner à Bonifato à gauche par la « Boucle des Finocchi », durée totale 3 h). Nous montons sur la droite le long du balisage jaune. Après 15 bonnes mn, nous quittons la crête panoramique parsemée de quelques amas de rochers bizarroïdes puis nous retournons vers

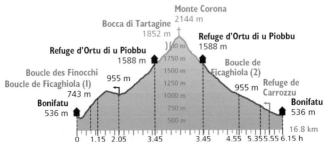

Le Refuge d'Ortu di u Piobbu dans un site panoramique.

le versant avant de nous enfoncer à la même altitude dans la **Vallée de Melaghia**. Après une demi-heure, le sentier débouche sur un large chemin par lequel nous montons à gauche (chemin du retour plus tard à droite). Peu après, le balisage jaune se tourne à gauche vers un sentier mais nous pouvons continuer sur le grand chemin. Les deux itinéraires se rejoignent après 10 mn, 50 m avant de traverser le ruisseau de Melaghia.

Une fois sur l'autre rive, nous tournons à gauche dans le sentier balisé en jaune vers le Refuge d'Ortu di u Piobbu (écriteau). Il monte du côté droit de la vallée à travers une jolie pinède de haute futaie. Après 1h, juste avant d'arriver au bout de la vallée au pied des tours rocheuses du Capu a u Dente, le chemin quitte la pinède et se dirige à droite vers une croupe dégagée, couverte de genévriers et d'aulnes. Le chemin un peu plus escarpé passe quasiment en ligne droite par-dessus la croupe. 30 mn plus tard nous atteignons le **Refuge d'Ortu di u Piobbu** situé dans une merveilleuse vallée d'altitude. Les alentours du refuge sont parfaits pour se reposer longuement. Au bord du chemin menant au Refuge de Carrozzu, se trouve une source (200 m plus loin).

Nous empruntons au départ le chemin de la montée pour descendre, mais après avoir traversé le ruisseau de Melaghia, nous restons sur le large chemin qui descend par la vallée. Le chemin pareil à une voie carrossable et localement en béton passe à deux reprises de l'autre côté de la vallée, franchit après une heure près d'un gué le ruisseau de la Figarella (attention après de fortes précipitations, mieux vaut rentrer par le chemin de la montée ; l'itinéraire de randonnée venant du Refuge de Carrozzu débouche ici) et nous arrivons 15 bonnes mn plus tard à l'**auberge**.

Randonnée de refuge très prisée

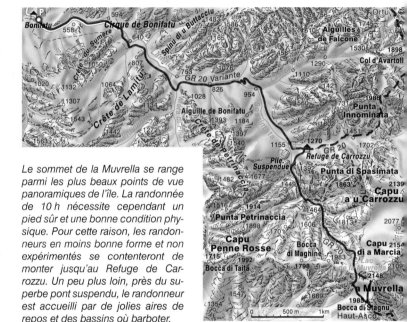

Le sommet de la Muvrella se range parmi les plus beaux points de vue panoramiques de l'île. La randonnée de 10 h nécessite cependant un pied sûr et une bonne condition physique. Pour cette raison, les randonneurs en moins bonne forme et non expérimentés se contenteront de monter jusqu'au Refuge de Carrozzu. Un peu plus loin, près du superbe pont suspendu, le randonneur est accueilli par de jolies aires de repos et des bassins où barboter.

Point de départ : Auberge de la Forêt de Bonifatu, 536 m, 21 km au sud de Calvi (parking payant).
Dénivelée : 750 m jusqu'au refuge, 1800 bons m jusqu'à la Muvrella.
Difficulté : Chemins bien indiqués. Montée vers le refuge : facile ; suite du chemin vers la Muvrella difficile : néces-

site de l'endurance et un pied sûr (passages d'escalade I ; il est conseillé de passer la nuit au Refuge de Carrozzu).
Halte et hébergement : Chambres et restaurant à l'auberge de la forêt, gîte dans le refuge exploité de Carrozzu (boissons, pâtisseries, plats simples).
Cartes : ign 4149 OT, 4250 OT (1:25 000).

De l'**auberge**, nous suivons jusqu'au bout le chemin forestier pendant 20 mn le long de la rive droite du ruisseau de la Figarella jusqu'au bout (20 mn, jolis bassins en contrebas du chemin). Là, on arrive à une variante

La passerelle au-dessus du ruisseau de la Spasimata – passage sécurisé par des chaînes.

du *GR 20* : à gauche on traverse le ruisseau vers Calenzana (→itin. 13) ; nous bifurquons à droite dans le sentier balisé en jaune (écriteau). Après avoir franchi une deuxième fois le ruisseau (passerelle), il se redresse un peu à travers la pinède et rejoint après 2 h 15 en tout le **Refuge de Carrozzu** entouré de falaises rocheuses.

A Muvrella
2148 m
Bocca di Stagnu   Bocca di Stagnu
1985 m   1985 m
Lac de la Muvrella   Lac de la Muvrella
Spasimata   Spasimata
Refuge de Carrozzu   **Refuge de Carrozzu**
1270 m   1270 m
Refuge d'Ortu   905 m   905 m   Refuge d'Ortu
626 m   626 m
Bonifatu   **Bonifatu**
536 m   536 m
11.5 km
0 0.20 1.15 2.15 2.35   2.35 2.55 3.40 4.20 4.40 h

N'oublions pas de visiter la passerelle de Spasimata : nous revenons un peu sur notre chemin de l'aller jusqu'à la bifurcation (panneau) puis nous empruntons le sentier à gauche (direction Asco, balisage blanc-rouge) qui nous ramène à la **passerelle** par des passages dallés localement sécurisés par des chaînes. La traversée du pont est une petite prouesse, mais il est possible de le contourner un peu plus haut sans problème lorsque le niveau est bas.

Pour l'ascension de la Muvrella (uniquement pour randonneurs endurants et chevronnés), suivre le GR 20. Le sentier monte d'abord en pente raide et conduit aussitôt au minuscule **Lac de la Muvrella** par de grandes dalles légèrement exposées et des passages rocheux (I) la plupart du temps sur la crête d'une vire rocheuse. Nous continuons à suivre le GR 20 qui conduit à une brèche avec deux aiguilles rocheuses pareilles à des oreilles de lièvre, (Bocca Muvrella, 1980 m), puis vers le **Bocca di Stagnu**, 1985 m (d'ici on arrive en 1 h à Haut-Asco). Un sentier balisé de cairns avec des repères défraîchis de couleur turquoise bifurque ici à gauche et monte au sommet (escalade facile I+) de la Muvrella, 2148 m (→itin. 75, 5 h 30 depuis Bonifatu).

Il est aussi possible de monter au sommet en partant à gauche du chemin du Lac de la Muvrella et de la »brèche des oreilles de lièvre« (balisé, raccourci de 30 mn).

Le minuscule Lac de la Muvrella, en arrière-plan Calvi.

Paisible randonnée aquatique – sur la berge ou dans le cours d'eau

Le Fango est généralement connu pour ses eaux limpides et ses longs et merveilleux bassins et marmites de géant. Ses berges sont facilement accessibles d'un côté depuis la route et de l'autre depuis le sentier de randonnée « Tra Mare e Monti ». L'affluence est donc très grande en haute saison et les bassins de baignade « privée » introuvables. Par temps très chaud en revanche, elle attire les passionnés de nage en eau vive !

Point de départ : Le Pont de Tuarelli, 93 m, à côté de la D 351 Galéria – Barghiana, à 4,5 km de l'embranchement de la D 81. Stationnement possible après le pont ou en bordure de la D 351.

Dénivelée : Insignifiante.

Difficulté : Le sentier de randonnée sur la berge est facile et des chaussures solides suffisent. Les passages dans la rivière en revanche exigent une certaine endurance (à la nage et à la marche) et

un pied sûr (il faut se tenir en équilibre sur les cailloux). Ne pas oublier d'emporter des sandales profilées et un chapeau/ une casquette !

Halte et hébergement : Bar-restaurant-pizzeria Ponte Vecchiu, gîte/camping à Tuarelli.

Idée : Excursion en kayak dans le delta du Fango : www.delta-du-fangu.com.

Remarque importante : Ne faire cette randonnée que si le temps est stable et pas après de fortes précipitations, même s'il est possible à tout moment de remonter à la route ou au sentier de randonnée.

Cartes : ign 4149/4150 OT (1:25 000).

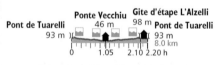

Ponte Vecchiu 46 m — Gîte d'étape L'Alzelli 98 m

Pont de Tuarelli 93 m — Pont de Tuarelli 93 m — 8.0 km

0 ... 1.05 ... 2.10 ... 2.20 h

56

Il faut se décider dès le **Pont de Tuarelli** : ceux qui veulent emprunter le petit cours d'eau (en nageant et pataugeant) descendent ici dans le long bassin de baignade au milieu des rochers (notons que c'est le plus beau de tout le parcours, →photos à gauche). Vers l'aval, il faut régulièrement traverser en nageant ou en rampant des bassins et piscines naturelles plus ou moins profonds mais toujours beaux. Les longs passages où il faut patauger dans l'eau sont fréquents, notamment à mi-parcours. Vers la fin, juste avant le Ponte Vecchiu, mieux vaut contourner la petite cascade car elle est un peu dangereuse. Si-

non, cette randonnée aquatique est facile, il suffit de veiller à ne pas déraper sur les cailloux et les rochers glissants. (Prévoir 2 à 3 h pour descendre la rivière entre le Pont de Tuarelli et le Ponte Vecchiu avec l'option de rejoindre le sentier de randonnée à n'importe quel moment.)

Ceux qui choisissent la randonnée sur les berges du Fango suivent la petite route qui franchit le pont puis prennent à gauche à la bifurcation. Au bout de 3 mn, le sentier de randonnée balisé en orange « Tra Mare e Monti » oblique à gauche dans un sentier (pancarte « Galéria/Girolata ») qui s'étire bientôt sur la berge du Fango et passe régulièrement devant de jolies piscines naturelles. La plus belle est certainement celle à laquelle nous arrivons après 35 mn (→photo à

droite). Le sentier de randonnée s'éloigne ensuite provisoirement du ruisseau et nous arrivons 10 mn plus tard au **Ponte Vecchiu** – et à la pizzeria du même nom sur l'autre berge en bordure de la D 351.

De retour au Pont de Tuarelli, faire encore un petit détour par le **gîte d'étape L'Alzelli** (bar-restaurant, camping) et continuer vers l'amont jusqu'à de beaux bassins et marmites de géant.

Randonnée variée vers la montagne de Galéria

La montée vers le Capu Tondu est déjà à elle seule un plaisir, surtout pour les randonneurs avec une préférence marquée pour les sentiers naturels avec quelques escalades faciles. La récompense après la montée laborieuse vers le sommet est une vue panoramique impressionnante sur le Golfe de Galéria, la presqu'île de Scandola, le Golfe de Porto et la crête principale avec la Paglia Orba.

Point de départ : Place de l'église au centre du village de Galéria, 35 m (parking au-dessus de l'église).
Dénivelée : 800 bons m.
Difficulté : Randonnée facile en dehors de quelques petites escalades.
Halte et hébergement : Bars, restaurants, gîte d'étape ainsi que campings à Galéria.
Cartes : ign 4149 OT, 4150 OT (1:25 000).

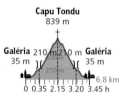

De l'église de **Galéria**, nous passons par la route devant la poste et la mairie et 50 m plus loin nous empruntons la première route à droite que nous montons à gauche, puis à droite. Après 5 mn (à gauche près de l'une des dernières maisons), la route débouche sur un chemin carrossable – un autre chemin carrossable grimpe ici à gauche puis bientôt à droite avant d'obliquer à nouveau à gauche au bout de 100 m. 30 m plus loin, nous bifurquons à droite vers le sentier bien distinct et balisé en rouge (cairns). Le chemin un peu embroussaillé au départ monte, en général tranquillement, à travers le taillis, 10 mn plus tard, il croise un lit de rivière étroit, court ensuite au-dessous d'une paroi rocheuse et grimpe vers un petit col, 210 m (5 mn ; à droite se trouve un petit sommet rocheux avec vue sur Galéria).

Vue du Capu Tondu sur la baie de Galéria.

Notre chemin grimpe maintenant à gauche par-dessus l'arête nord-ouest du Capu Tondu. Un bon quart d'heure plus tard, un premier passage de roches doit être surmonté. Par la suite, les passages rocheux alternent avec les passages de forêts buissonneuses. Une bonne heure après le col, le sentier, balisé en rouge, nous guide à travers une grande dalle et déjà nous apercevons le sommet devant nous. Maintenant le chemin court brièvement à droite, à l'écart de l'arête rocheuse et conduit, d'abord un peu à droite, puis à gauche, en passant au-dessous d'une paroi rocheuse érodée, vers le point culminant du **Capu Tondu**.

La côte ouest entre Porto et Ajaccio

Golfe de Porto – Golfe de Sagone – Cinarca – Golfe d'Ajaccio

La côte ouest de l'« île des contrastes » nous offre une diversité de paysages splendides. La Corse « sauvage » et la Corse « la douce » se côtoient ici étroitement.

Le **Golfe de Porto** est la Corse « sauvage », où la nature se dévoile sans compromis aucun. La baie, entourée de rochers bizarroïdes, étincelants de couleur rougeâtre avance profondément vers l'intérieur des terres et son arrière-pays est un paradis pour les explorateurs et les amoureux de la nature. Au nord, la réserve naturelle de la presqu'île *La Scandola* limite le golfe ; au sud, c'est le grandiose belvédère du *Capu Rosso*. Ce sont avant tout les *Calanche* qui nous enchantent avec leur paysage rocheux, rude et étrange, entre la mer d'un bleu profond et le Capu d'Orto. A l'écart de la côte, les villages de *Piana*, *Ota* et *Evisa* valent le détour.

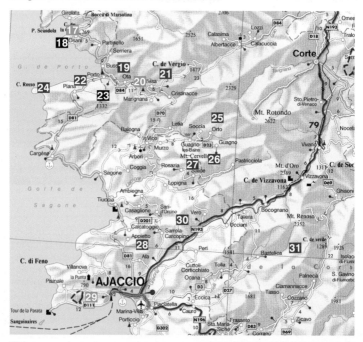

Vue des calanche sur le Golfe de Porto et le Monte Senino.

Le **Golfe de Sagone** nous enchante avec ses vastes plages de sable. Dans l'arrière-pays nous attendent entre *Vico* et *Guagno* quelques villages pittoresques et peu fréquentés qui nous invitent à d'agréables randonnées. De Guagno, nous pouvons entreprendre une belle excursion de 2 jours : aller de la *Bergerie de Belle e Buone* au *Refuge de Manganu* et retour par le *Lac de Creno* et *Orto*.

Le charmant **Golfe d'Ajaccio** nous offre son doux paysage avec ses plages de sable renommées bien que souvent défigurées par l'urbanisme. En dehors de ses trésors culturels, la capitale de l'île, Ajaccio, est avant tout intéressante comme point de départ pour des excursions vers la Tour de La Parata, *Punta Pozzo di Borgo*, 779 m (30 mn à partir du Château de la Punta) ainsi que pour une promenade le long du « *Sentier des Crêtes* » au *Monte Salario*. Dans l'arrière-pays, d'autres promenades agréables sont possibles autour de la Vallée de la Gravona, du *barrage de Tolla* et de *Bastelica*. Là, nous ne devons pas négliger de mentionner les sommets panoramiques de la *Punta di l'Alcudina*, 1313 m (3 h depuis Peri) et de la *Punta d'Isa*, 1630 m (1 h à partir du Col de Scalella).

Tranquille randonnée côtière sur le « Tra Mare e Monti »

Girolata est célèbre en raison de son extraordinaire situation géographique au bord du Golfe de Girolata, à proximité de la réserve naturelle de la presqu'île de Scandola. Ce village de pêcheurs classé monument historique n'est accessible que par la mer ou des chemins de randonnée – il est pourtant très fréquenté, notamment vers midi lorsque les bateaux d'excursion venant de Porto, Calvi et d'autres ports de la côte ouest débarquent les touristes dans les restaurants de la plage. L'itinéraire depuis le Col de la Croix est aussi très fréquenté – à juste titre si l'on pense aux superbes paysages et au chemin aisé !

Point de départ : Bocca a Croce (Col de la Croix), 269 m, sur la grand-route Galéria – Porto (à 22 km au nord de Porto), au-dessus du village d'Osani.
Dénivelée : 600 m.
Difficulté : Randonnée facile sur un bon chemin. Pas d'ombre dans la deuxième partie, partir donc tôt (et éviter par temps chaud !). La variante pour le retour exige un pied sûr et une insensibilité au vertige.
Halte : Bars-restaurants à Girolata, snack-bar à la Bocca a Croce.
Carte : ign 4150 OT (1:25 000).

Depuis le col de la **Bocca a Croce**, l'itinéraire de randonnée balisé en orange descend direction nord vers Girolata, parallèlement à la route vers Galéria au départ. Ce joli et confortable chemin s'étire souvent à l'ombre du maquis, laissant de temps en temps entrevoir le magnifique Golfe de Girolata bordé au nord par la presqu'île de Scandola aux reflets rouges et au sud par le Monte Senino. Après 15 mn, nous dépassons la Fontaine de Spana et 30 mn plus tard, nous arrivons à la **Plage de Tuara**. De nombreux bateaux sont normalement ancrés en

Point de mire en cours de route : Girolata et la presqu'île de Scandola.

bordure de la jolie plage de sable.

De l'autre côté de la plage, nous empruntons un chemin carrossable dont se détache 50 m plus loin à gauche un chemin de randonnée. Il monte en permanence, dévoilant un beau panorama sur la plage derrière nous, et il est très exposé au soleil. Au bout de 20 mn, nous continuons tout droit au croisement avant d'arriver après 10 mn environ sur une éminence, 180 m, qui offre une vue magnifique sur Girolata (aire de repos ombragée, un chemin balisé en orange oblique à droite). Le chemin s'étire maintenant à peu près à la même hauteur, puis il descend légèrement sur le versant. Après 25 mn, nous dépassons un minuscule cimetière et nous arrivons quelques minutes plus tard à **Girolata** – de nombreux bars-restaurants accueillants nous attendent derrière la plage de galets.

Pour le retour, nous empruntons le même itinéraire. Quant aux randonneurs au pied sûr et insensibles au vertige, ils prendront le chemin côtier, plus séduisant : l'étroit sentier bifurque après 10 m de montée depuis la plage sur la droite (écriteau « Chemin du Facteur ») puis s'étire en montant et en descendant au-dessus de la côte (après quelques minutes, ne pas descendre à droite à la minuscule plage). Nous montons bientôt en pente abrupte jusqu'à une crête (80 m env., belle vue sur Girolata) sur par laquelle le sentier se redresse brièvement avant d'obliquer à droite vers le versant. Le passage parfois exposé mais superbe sur le versant escarpé sur les hauteurs du littoral dure environ 10 mn puis le terrain s'assagit. Après 40 mn, nous dépassons un étroit ruban de sable et nous arrivons 5 mn plus tard à la **Plage de Tuara** d'où nous retournons au **Bocca a Croce** par l'itinéraire connu.

18 *Punta Castellacciu, 585 m, et Monte Senino, 618 m*

Superbe randonnée vers le pilier cornier nord du Golfe de Porto

Malgré sa faible altitude, le Monte Senino est l'un des plus beaux et des plus aventureux sommets de Corse – en tous cas l'un des plus photographiés. Avec la Punta Castellacciu, il fait office de pilier cornier entre le Golfe de Porto et le Golfe de Girolata, tout en offrant une vue panoramique exceptionnelle sur les deux baies et la crête principale (voir photo).

Point de départ : Bocca a Croce (Col de la Croix), 269 m, au bord de la grand-route de Galéria à Porto (à 22 km au nord de Porto), au-dessus du village d'Osani.
Dénivelée : 350 m (Monte Senino 300 m de plus).
Difficulté : Sentier extrêmement abrupt avec quelques passages d'escalade faciles, qui demande au randonneur un bon sens de l'orientation.
Halte : Buvette au Bocca a Croce.
Variante : Continuer vers le Monte Senino (1 h l'aller, escalade facile par endroits) : à droite (nord-ouest) au-dessous des rochers du sommet de la Punta Castellacciu, un sentier net et balisé avec des

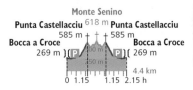

cairns s'étire. Il suit plus ou moins la crête en direction du Monte Senino puis s'abaisse au bout de quelques minutes en pente raide légèrement à gauche avant de retourner dans une transversale à la crête. Peu après on arrive à une selle devant un pilier rocheux. Ne pas monter

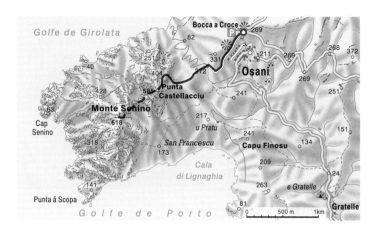

jusque-là, mais continuer à gauche au pied du pilier avant de gravir immédiatement un étroit couloir rocheux pentu (cheminée, passage d'escalade I !). Avancer ensuite par un col sur le côté droit de la crête jusqu'à la selle suivante devant une imposante paroi rocheuse. Descendre ici brièvement à gauche, puis continuer à droite au pied de la falaise jusqu'au couloir rocheux suivant. Monter dans ce couloir puis, légèrement sur la gauche, à travers le versant parsemé de rochers sur le côté gauche de la crête pour atteindre le sommet.

Carte : ign 4150 OT (1:25 000).

Le sommet du Monte Senino depuis la Punta Castellacciu.

Du col de **Bocca a Croce**, une piste bifurque vers l'ouest et franchit 800 m plus loin (10 mn) un col (point 272 m, possibilité de stationnement). Là nous quittons la piste qui descend vers le Golfe de Girolata par un sentier bien distinct qui se détache vers l'ouest. Parfois légèrement raide, il conduit du côté droit de l'arête à travers un taillis au pied de la Punta Castellacciu (10 mn). Nous grimpons ici sur la droite par le sentier et tournons à droite à la bifurcation 3 mn plus tard. Le sentier grimpe maintenant très abruptement et parfois très à pic (souvent bonne prise aux arbres et aux rochers) vers les hauteurs. Environ 10 mn plus tard – nous nous trouvons déjà sur le flanc nord de la Punta Castellacciu – vient une brève traversée vers l'arête nord. Nous continuons à grimper en passant par-dessus l'arête d'où nous avons une vue grandiose sur la presqu'île de Scandola et Girolata. Un quart d'heure plus tard environ, nous arrivons au pied d'une haute paroi rocheuse d'où nous grimpons en nous tenant à gauche à travers le large couloir bordé de rochers. Nous rejoignons peu à peu à nouveau la face est du sommet sur laquelle commence, 10 mn plus tard, une brève traversée vers la gauche (faire bien attention pour le retour). Au cours de la montée, maintenant moins abrupte, par-dessus l'arête est, nous passons à gauche d'énormes crevasses et déjà nous arrivons au point culminant de la **Punta Castellacciu**, 585 m (10 mn).

Par le Mare e Monti vers l'un des plus beaux points de vue au-dessus du Golfe de Porto

Le Capu San Petru se dresse directement au-dessus de Porto et offre au randonneur un panorama grandiose sur tout le Golfe de Porto – du Capu Rosso jusqu'au Monte Senino.

Point de départ : Centre d'Ota, 340 m.
Dénivelée : 1100 bons m.
Difficulté : Circuit long et fatigant.
Halte : Bars-restaurants à Ota.
Variantes : Possibilité de descente du Capu San Petru vers Porto (2h), de la Bocca San Petru vers Serriera (Mare e Monti, 2h45).
Remarque : Si l'on rentre par l'itinéraire de l'aller, le temps de marche est réduit à 6 h.

Carte : ign 4150 OT (1:25 000).

Au croisement des routes au centre d'**Ota**, nous nous dirigeons vers la route montante (écriteau « *Mare e Monti* ») et nous bifurquons à gauche dans le premier tournant serré à droite pour continuer sur le chemin balisé en

Vue depuis le Capu San Petru sur la plage de Porto, les calanche et le Capu Rosso.

orange. Il monte aussitôt en gradins en laissant les dernières maisons du village derrière lui et continue ensuite sur le versant très loin au-dessus de la route vers Porto. Au cours de la randonnée confortable sur les hauteurs, nous jouissons d'une vue merveilleuse vers le Capu d'Orto et une bonne demi-heure plus tard aussi vers Porto. Après 50 mn au total, et en montant constamment vers la fin, nous arrivons à une crête avec une belle aire de repos ombragée (461 m). Le chemin descend maintenant faiblement (ne pas monter à droite) avant de grimper bientôt à nouveau vers un plateau panoramique rocheux. 10 mn après le plateau, nous allons vers le côté gauche de la vallée. Le merveilleux chemin monte maintenant à travers une petite pinède jusqu'au pied d'une imposante paroi rocheuse de forme singulière, traverse peu après à nouveau la **Vallée de Vitrone** (source), mais retourne aussitôt sur le versant gauche de la vallée. 25 mn plus tard, nous repassons sur le versant opposé et grimpons vers une crête (20 mn) d'où s'ouvre déjà une vue grandiose sur le Golfe de Porto jusqu'au Capu Rosso. On continue à monter à travers une jolie pinède jusqu'à ce que le chemin se dirige à nouveau à gauche vers la vallée ; il traverse celle-ci (source de Vitrone, 20 mn) et se dirige vers une châtaigneraie (écriteau, 960 m ; 10 mn environ). Un sentier que nous emprunterons plus tard au retour, se détache ici en angle aigu à droite vers la Bergerie de Larata. Notre chemin continue

Descente dans la vallée très romantique de la Lonca.

tout droit, en légère descente, et atteint en 15 mn une bifurcation à la **Bocca San Petru**, 905 m. Ici, nous quittons le Mare e Monti qui descend à droite vers Serriera et nous franchissons l'arête par le chemin distinct à gauche pour arriver au proche sommet du **Capu San Petru** (10 mn). Les plus beaux points panoramiques se trouvent du côté gauche de l'arête. De là, on surplombe le Golfe de Porto tout entier.

Nous retournons maintenant à la bifurcation vers la Bergerie de Larata (25 mn). Ceux qui trouvent le circuit trop long peuvent retourner par le chemin de la montée à Ota (2 h 15), mais nous prenons tout droit (à gauche) le sentier balisé avec un point bleu. Il s'étire agréablement, en montant doucement la plupart du temps, sur la pente et arrive après 35 mn au **Bocca di Larata**, 1104 m, où la vue s'étend sur Capu d'Orto, Porto et Capu Rosso (possibilité de monter à droite au Capu di Larata, 1193 m, 15 mn). Le chemin de randonnée balisé descend maintenant à travers des châtaigneraies à la **Bergerie de Larata**, 1057 m (10 mn), dépasse 5 mn plus tard une source (rester sur le sentier balisé en bleu à la bifurcation après à droite) et rejoint après 5 mn supplémentaires un plateau rocailleux avec une belle vue sur Evisa, Paglia Orba et Capu Tafunatu. 20 mn plus tard, nous arrivons à la **Bergerie de Corgola**, 961 m, dans une châtaigneraie, où le chemin se divise – descendre ici à droite le long du balisage bleu qui passe devant une maison en pierre. Nous traversons ensuite une pinède, puis le chemin devient plus escarpé et descend dans un décor magnifique entre des rochers dans la **Vallée de la Lonca**. Une heure environ après Corgola, nous débouchons juste au-dessus du ruisseau de Lonca sur un chemin transversal balisé en orange que nous suivons à droite. Il monte et descend légèrement en contre-haut du ruisseau et nous pouvons entr'apercevoir régulièrement de magnifiques bassins et cascades. Au bout de 20 mn commence la dernière montée pénible – un superbe tronçon : après un plateau panoramique (belle vue sur la vallée encaissée rocheuse et sauvage des Gorges de la Lonca) et un petit cirque rocheux impressionnant avec des blocs de roche, nous montons jusqu'à une **brèche**, à 640 m environ (15 mn). La descente sinueuse de l'autre côté est tout aussi belle avec vue sur les Gorges de Spelunca. Le chemin s'aplanit un peu plus tard et débouche après 50 mn sur la route vers **Ota** qui nous ramène à droite jusqu'au centre en 10 mn.

Excursion populaire avec baignade possible dans le Porto

Les Gorges de Spelunca sont l'une des attractions touristiques les plus connues de l'île et sont par conséquent très fréquentées par les cars d'excursionnistes. Cependant, le plus grand nombre de visiteurs quitte le pont sur la route d'Ota vers Evisa pour descendre un peu dans le canyon où ils se contentent de se rafraîchir en se baignant près du pont-route ou au pont génois. – Malheureusement, il n'y a pas de liaison en car entre Ota et Evisa. Mieux vaut donc garer une deuxième voiture à Ota ou prendre un taxi voire faire de l'auto-stop. Il est possible aussi bien sûr de rentrer à pied à Evisa (2 h 30–3 h).

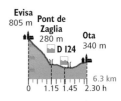

Point de départ : Evisa, 829 m. Départ du sentier au cimetière à la sortie du village direction Porto (écriteau). Bus vers Porto à 10 h (01/07 au 15/09, lun.–sam.).
Arrivée : Ota, 340 m, ou le pont au-dessus du Porto en bordure de la D 124 Ota – Evisa. Prochain arrêt de bus au débouché de la D 124 sur la D 84 Porto – Evisa (2 km depuis le pont), bus vers Evisa à 14h10 (01/07 au 15/09, lun.–sam.).
Dénivelée : 600 bons m à la descente et 140 m à la montée.
Difficulté : Promenade facile à travers la vallée sur un sentier bien jalonné.
Halte et hébergement : Restaurants et hôtels à Evisa et à Ota, gîte d'étape à Ota, campings à Evisa et Porto.
Carte : ign 4150 OT (1:25 000).

Au pont de Zaglia, de jolies « piscines » nous attendent.

Au cimetière près de la grand-rue commence le sentier balisé en orange (écriteau) qui fait partie du chemin de grande randonnée « *Mare e Monti* ». Il se faufile aussitôt dans un merveilleux taillis ombragé laissant parfois entrevoir le ravin. Après une bonne demi-heure, le sentier des muletiers, en grande partie consolidé et la plupart du temps entouré de murettes de pierres devient plus raide et descend par paliers vers le fond de la vallée avec le ruisseau impétueux. Au pont à arc génois, le **Pont de Zaglia**, les premières cuvettes nous invitent à faire quelques brassées ainsi qu'une pause (1 h 15). Nous traversons le pont et continuons notre excursion à travers les **Gorges de Spelunca**. De chaque côté du chemin se dressent des parois rocheuses puis le sentier bordé de maquis s'éloigne à vue d'œil du ruisseau avant d'y retourner peu avant le **pont-route** (35 mn à partir du pont de Za-

glia). A cet endroit, une agréable baignade nous invite sous le pont – tout comme au bassin sous le vieux pont génois, le **Ponte Vecchiu**, où nous arrivons 10 mn plus tard (suivre la route 50 m à gauche puis longer le stade). Au Ponte Vecchiu, le sentier balisé en orange traverse le ruisseau, continue encore un peu le long de la rive droite et monte ensuite vers **Ota** (40 mn depuis le pont-route).

4 h 30

Randonnée paisible et panoramique au-dessus de la Vallée d'Aitone

La forêt d'Aitone est l'une des plus jolies pinèdes de l'île. Notre chemin se faufile la plupart du temps dans la pénombre de magnifiques pins noirs et pins laricios ; cette randonnée est donc conseillée en période estivale.

Localité dans la vallée : Evisa, 829 m.
Point de départ : Depuis la bifurcation au-dessus d'Evisa, parcourir 4,7 km sur la D 84 direction Col de Verghio jusqu'à la ramification gauche de la piste du Salto (barrière, écriteau « Sentier de la Sittelle », 1160 m), située exactement entre le village de vacances d'Aitone et la maison forestière de Catagnone. Parking à gauche de la route.
Dénivelée : Env. 550 m.
Difficulté : Randonnée de montagne facile, un peu pénible sur un chemin forestier et un sentier. La montée vers Capu à Scalella exige un pied sûr.
Halte et hébergement : Restaurants, hôtels et camping à Evisa.
Variante : Possibilité de descente du Col

de Cuccavera en passant par le Refuge de Puscaghia vers la Vallée de Fango.
Idée : Visiter la piscine naturelle d'Aitone (env. 2 km sur la route direction Evisa puis continuer à droite à pied vers le ruis-

seau, 15 mn).
Carte : ign 4150 OT (1:25 000).

Nous commençons par descendre sur la route forestière (tout droit après 100 m) vers le ruisseau d'Aitone. Là, nous traversons le **Pont de Pompeani**, 1130 m (15 mn), et continuons tout droit en montant la route empierrée. Bientôt, nous traversons le **Pont de Casterica**. D'immenses pins laricios et des blocs de roche se mélangent à la forêt. Après une bonne heure de marche, nous atteignons l'abri au **Bocca a u Saltu**, 1391 m. D'ici, le sommet secondaire du **Capu à Scalella**, 1460 m, vaut bien un détour d'une bonne demi-heure. Le sentier, non balisé (escalade de niveau I par endroits), conduit en montant derrière l'abri vers le vaste plateau rocailleux surmonté d'une croix sommitale. D'ici, nous portons notre regard vers Evisa et Marignana à nos pieds. Cependant, la vue sur le Golfe de Porto nous est offerte

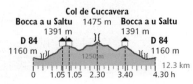

uniquement depuis le sommet principal rocheux à 1480 m.

Nous continuons ensuite tout droit sur la route forestière légèrement en pente. Juste avant le premier virage en épingle à cheveux (10 mn environ), un che-

Au sommet du Capu à Scalella. A l'arrière-plan le sommet principal, 20 m plus haut.

min forestier signalé bifurque tout droit vers le Col de Cuccavera. Le petit chemin (orange, cairns) descend le long de parois rocheuses puis remonte vers la Vallée de Cuccavera en passant par des dalles quelque peu escar-

pées. (On peut aussi continuer sur la route forestière et prendre toujours à droite aux bifurcations). Après 1 h de marche en pente, nous traversons un petit cours d'eau. Immédiatement après, nous nous trouvons à nouveau sur la route forestière. 15 mn plus tard à peine, nous arrivons au **Col de Cuccavera**. Du petit sommet rocheux à gauche du col, belle vue sur la Paglia Orba et le Capu Tafunatu ainsi que sur le Capu à Cuccala proche. Sur la côte, nous pouvons distinguer le Monte Senino.

Forteresses rocheuses et mer d'un bleu profond

Dans les « calanche », d'énormes colosses de roche aux reflets rougeâtres, comme taillés par la main de l'homme aux temps préhistoriques, brillent et se dressent au-dessus du maquis, excitant notre imagination. Il est chaudement recommandé d'emprunter l'un des sentiers à travers la jungle d'arbustes et de forteresses rocheuses. Le chemin (1) n'en vaut pas forcément la peine – contrairement à celui menant au château-fort (2) et au Chemin des muletiers (3).

Localités dans la vallée : Piana, 440 m, et Porto, 80 m.
Point de départ : Chalet des Roches Bleues (kiosque), 428 m, au bord de la D 81 Piana – Porto (à 4 km au nord de Piana).

Dénivelée : Env. 800 m en tout.
Difficulté : Sentiers touristiques faciles, en partie un peu raides, bien indiqués.
Halte et hébergement : Restaurants et hôtels à Piana, campings à Porto et à la plage d'Arone.
Carte : ign 4150 OT (1:25 000).

(1) Chemin de la châtaigneraie (2 h 15) : 10 bons m au-dessus du **chalet des Roches Bleues**, un sentier abrupt marqué en bleu et rouge (écriteau « Capu di u Vitullu » etc.), se détache de la route. Ici et là, les pins ne nous empêchent pas de jeter un coup d'œil sur l'étrange paysage rocailleux. 30 mn plus tard, le sentier se transforme en un agréable chemin forestier. Après 15 mn, nous atteignons un croisement bien distinct où nous empruntons à gauche le chemin marqué en vert et rouge (à droite vers Piana). Peu

Les calanche – à chaque coin de nouvelles surprises nous attendent.

après, nous débouchons déjà dans une petite châtaigneraie avec d'agréables aires de repos où le chemin se divise. Nous continuons tout droit sur le sentier balisé en rouge (direction les ruines de Dispensa) qui, après une courte montée, descend en d'infinis lacets abrupts, en passant au bout de 5 mn par la Fontaine d'Oliva Bona (ne pas s'y rendre), jusqu'à la route (1 h 15 depuis la châtaigneraie). Nous l'empruntons sur la gauche pour retourner en 15 mn à la **Tête du Chien**.

(2) Chemin du château-fort (45 mn) : A droite de la **Tête du Chien** se détache un sentier marqué en bleu (écriteau « Château-fort ») qui nous mène en 20 bonnes mn à travers une magnifique galerie de rochers vers un **plateau rocheux** en contrebas avec vue sur le château-fort, un colosse en pierre pareil à une forteresse, au-dessus des flots d'un bleu profond. Retour par le même chemin vers la route.

Dans le prochain virage à droite de la route, après la bande de stationnement (5 mn au-dessus de la Tête du Chien), le Chemin de la corniche bifurque à gauche – apparemment il est abandonné, du moins il était très embroussaillé dernièrement. On continue donc sur la route jusqu'au **Chalet des Roches Bleues** (5 mn minimum).

(3) Chemin des muletiers (1 h 15) : 5 mn au-dessus du **chalet**, un chemin balisé (écriteau « Capu d'Ortu ») se détache à gauche de l'oratoire « O Marie Immaculée », encastré dans le rocher. Il s'agit d'un chemin très beau, un peu escarpé au départ, qui nous détourne loin au-dessus de la route vers un bizarre univers rocailleux de petites tours et de silhouettes. Peu après être entré dans la forêt, on pourrait déjà descendre jusqu'à la route (mais le chemin est très embroussaillé). A la bifurcation après la forêt, on descend tout droit (vert/bleu ; châtaigneraie à gauche) jusqu'au stade de foot de Piana (on franchit à droite le pont au-dessus du ruisseau en fin de parcours). La piste d'accès nous conduit à la route principale qui nous ramène en 20 mn au **chalet** par la droite.

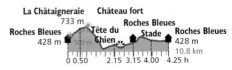

6 h 20

Circuit varié et ponctué de vues grandioses

L'ascension du Capu d'Orto est l'une des promenades les plus divertissantes de l'île, avec une fantastique vue plongeante sur le Golfe de Porto.

Capu d'Orto 1294 m
Foce d'Orto 1278 m
998 m
Bocca di Piazza 910 m
Bocca di Piazza 910 m
La Chataigneraie
Stade de Piana 480 m
Stade de Piana 480 m
13.1 km
0   1.25 2.15 3.45 5.00 5.50 6.20 h

Localité dans la vallée : Piana, 440 m.
Point de départ : Stade, 480 m, accessible par un chemin carrossable partant de la D 81 Piana – Chalet des Roches Bleues (à environ 2 km).
Dénivelée : 900 m.
Difficulté : Randonnée pour l'essentiel facile, mais fatigante sur des sentiers bien balisés. La montée du sommet depuis la Foce d'Orto exige un pied sûr (I+).
Halte et hébergement : Restaurants et hôtels à Piana, campings à Porto et à la plage d'Arone.
Carte : ign 4150 OT (1:25 000).

Vue plongeante du sommet du Capu d'Orto sur Porto.

Le Capu d'Orto à gauche et le Capu di u Vitullu à droite dans la descente.

Nous atteignons le **stade** en tournant tout à gauche à environ 1,7 km au-dessus du chalet des Roches Bleues dans un chemin carrossable (écriteau « Stade »). Nous traversons le stade de foot sur la gauche et nous suivons maintenant le chemin balisé en vert et orange qui franchit aussitôt le ruisseau par une passerelle (ensuite à droite à la bifurcation), longe d'abord la rive gauche et se faufile bientôt en décrivant d'amples lacets à travers la pinède vers les hauteurs. Après 1 h 30 tout juste de marche, le chemin se ramifie. Continuer ici à droite par la **Bocca di Piazza** vers une autre bifurcation 5 mn plus tard à peine – à gauche, l'itinéraire de descente balisé en vert et plus court (monter par ce sentier si on n'a pas le pied sûr) et à droite, notre chemin de montée, balisé en orange. On descend encore un peu pour atteindre le lit d'un ruisseau avant de remonter ici à gauche sur le chemin balisé en orange qui passe, 2 mn plus tard, devant la Fontaine de Piazza Moninca (écriteau). Juste après, nous prenons à gauche à la bifurcation direction Foce d'Orto et nous ignorons, 10 mn plus tard, le sentier qui bifurque à

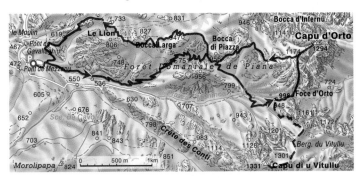

Vues grandioses depuis le chemin de randonnée sur le golfe de Porto. – En bas : panorama à 360° depuis le sommet.

droite vers Capu di u Vitullu. Environ 10 mn après, nous nous retrouvons au **Foce d'Orto**, 998 m, au pied des rochers de forme bizarroïde d'une antécime du Capu d'Orto. Là, des cairns nous indiquent le chemin. Nous prenons à gauche vers les rochers et nous atteignons bientôt un couloir très abrupt en partie embroussaillé dans lequel on pénètre en s'aidant des mains (dalles rocheuses, I+). Au bout de 50 mn, nous atteignons la fin du couloir. Nous suivons des cairns à gauche en descendant légèrement par un petit plateau (1174 mm ; on rencontre ici l'itinéraire normal) vers le pied du sommet du **Capu d'Orto** et montons vers le point culminant par des rochers. Les plus beaux points de vue sont marqués par des cairns.

Pour la **descente**, nous suivons d'abord le chemin de la montée mais arrivés au plateau, au pied du sommet, nous continuons tout droit vers un petit pla-

teau rocheux avec d'innombrables et curieux monticules de pierres. De bizarres tafoni nous accompagnent désormais dans la descente, pas trop difficile, qui atteint bientôt un col peu profilé. Nous descendons maintenant (balisage vert) à droite à travers un large couloir rocheux jusqu'à une autre selle devant un groupe de rochers. Nous continuons ici à gauche au pied d'une longue paroi rocheuse vers une brèche et descendons jusqu'à la jonction avec le sentier marqué en orange près du **Bocca di Piazza** (1 h). Nous montons ici à droite par la selle et nous continuons à droite à la croisée des chemins suivante sur le sentier balisé en vert. Juste après, nous prenons à gauche à la bifurcation direction Roches Bleues, franchissons la chaîne de collines (héliport) et descendons, avec de belles vues plongeantes sur les calanques jusqu'à une petite châtaigneraie (1h depuis le Bocca di Piazza). Là, nous continuons à gauche par le sentier balisé en vert et rouge direction Piana et retournons peu de temps après tout droit par le sentier vert-bleu jusqu'au **stade** (2 h 30 en tout).

Merveilleuse randonnée vers la tour génoise sur les falaises rouges

La randonnée vers la falaise vertigineuse de 300 m de haut près de la tour génoise de Turghiu, est l'un des points forts parmi les attractions de l'Ile de Beauté. A nos pieds, nous percevons le bruissement du ressac et contemplons le spectacle magnifique du Golfe de Porto.

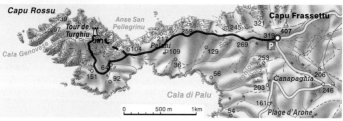

Localité dans la vallée : Piana, 440 m.
Point de départ : Du centre de Piana par la D 824 direction Plage d'Arone ; 6 km plus loin dans un virage à gauche (snack-bar), grand parking au bord de la route, 319 m.
Dénivelée : 500 m.
Difficulté : Petite randonnée facile sur de bons sentiers balisés.

Halte et hébergement : Snack-bar au point de départ, hôtels et restaurants à Piana, campings à la plage d'Arone et à Porto.
Idée : Visiter la magnifique plage d'Arone (sur la D 824 vers le sud).
Carte : ign 4150 OT (1:25 000).

Depuis le **parking**, nous nous dirigeons vers un chemin bordé de murettes que nous suivons vers la gauche (légère descente) avec, toujours dans notre champ de vision, le Capu Rosso avec la tour génoise.

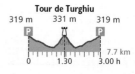

Tour de Turghiu
319 m   331 m   319 m
7.7 km
0   1.30   3.00 h

15 mn plus tard, nous passons par une clôture et atteignons bientôt près d'un bloc de roche imposant une cabane en pierres délabrée. Au printemps, des tapis de fleurs bariolés et des arbrisseaux de cistes forment un spectacle enchanteur. Tout en bas, une dent rocheuse haute comme une tour se dresse hors de la mer – autant d'images qui semblent sortir tout droit d'un prospectus publicitaire. Après 45 bonnes mn, un sentier se détache à droite par l'arête rocheuse (belle variante pour les randonneurs au pied et insensibles au vertige ; escalade facile, cf. photo en haut), mais nous restons sur le chemin principal. 10 mn plus tard, on rejoint une **maisonnette** au toit en tuiles avec une aire de battage que l'on aperçoit déjà de loin. 50 m avant d'y arriver, un sentier balisé avec des cairns se détache à droite et nous conduit par la pente couverte de maquis vers les rochers rougeâtres et criblés de trous du Capu Rosso. Le chemin s'élève à travers le somptueux couloir verdoyant au milieu des rochers. Finalement, on traverse une suite de plateaux un peu moins pentus jusqu'à la **Tour de Turghiu** (30 mn) dont la plate-forme panoramique est libre d'accès (prudence : escalier raide et non sécurisé !).

Les falaises près de la tour génoise tombent à la verticale dans la mer.

Randonnée facile vers un lac idyllique en forêt

Le petit Lac de Creno entouré de pinèdes et parsemé de petits îlots herbeux est un lieu d'excursion facile à atteindre et donc très fréquenté. Le lac marécageux ne se prête guère aux baignades ; par contre de jolies aires de pique-nique nous attendent près de la rive où des cochons guettent les déchets des promeneurs. Il est conseillé toutefois de combiner cette promenade avec une montée vers la chapelle au sommet panoramique du Monte Sant'Eliseo.

Localité dans la vallée : Soccia, 729 m, joli village de montagne à 31 km à l'est de Sagone. Le village voisin d'Orto est tout aussi beau et peut être également choisi comme point de départ pour une promenade vers le Lac de Creno.

Point de départ : Parking, 1000 m, avec snack-bar, au-dessous d'une grande croix en métal – accessible depuis Soccia en direction nord-ouest par une étroite route asphaltée (3 km, panneaux).

Dénivelée : Vers le lac de Creno 350 m et 200 m de plus vers le Monte Sant'Eliseo.

Difficulté : Chemin de randonnée facile et très bien jalonné, montée vers le Monte Sant'Eliseo laborieuse.

Halte et hébergement : Buvette au parking, bar et hôtel-restaurant à Soccia, camping à Vico.

Variante : Descente par des chemins bien balisés du lac de Creno et du Monte Sant'Eliseo (par endroits à peine balisés et embroussaillés) vers Orto, 1 h 30, et de là vers Soccia, 1 h (30 mn de plus jusqu'au parking).

Carte : ign 4251 OT (1:25 000).

Depuis le **parking** nous suivons encore pendant 100 m la piste bétonnée, puis nous prenons après la croix à droite le chemin carrossable balisé en jaune. Il s'étire en une confortable traversée de versant du côté droit de la vallée. Au bout de 40 mn un lac minuscule apparaît en contrebas du sentier

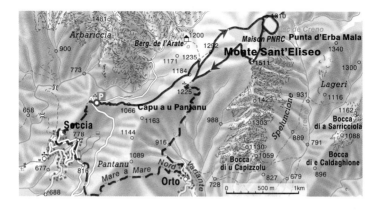

avec la Bergerie de l'Arate – notre chemin de randonnée bifurque maintenant à droite sur un joli sentier de randonnée. Quelques minutes plus tard,
nous ignorons un chemin à droite venant d'Orto, également balisé en jaune
(notre chemin de retour). A peine sommes-nous en vue des montagnes de
2000 m de la chaîne principale que déjà le sentier pénètre dans la pinède
qui nous accompagne jusqu'au **Lac de Creno**.
Si cette randonnée jusqu'au lac ne suffit pas, faire absolument un crochet
par le Monte Sant'Eliseo : derrière la maison du parc naturel, on gravit 50 m
jusqu'à la crête sur laquelle un sentier escarpé et distinct (cairns) mène au
sommet. Peu avant d'arriver à la chapelle en haut du **Monte Sant'Eliseo**, la
forêt s'éclaircit. La vue sur la crête principale corse, vers Orto et sur la Vallée
de Guagno est tout simplement incroyable. Depuis le sommet, on peut re-

tourner au sentier de randonnée
par la barrière en prenant tout
droit (pas à gauche vers la croix
blanche). Au bout de 40 mn de
marche, tourner à droite à la bifurcation devant une croix blanche
puis à gauche.

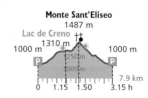

83

Unique au monde –
le « Pain de Sucre » du Mont Tretorre

Le Mont Tretorre n'est pas seulement une montagne panoramique de premier ordre mais aussi une rareté géologique qui cherche son pareil dans le monde entier : la tour rocheuse aux trois sommets de plus de 100 m de hauteur est en syénite, roche plutonique formée à partir du quartz. Une randonnée impressionnante, l'ascension du sommet proprement dite est toutefois réservée aux randonneurs familiers de l'escalade et insensibles au vertige.

Point de départ : Centre de Guagno, 760 m, à 33 km à l'est de Sagone.
Dénivelée : 800 m (150 m de plus avec l'ascension du sommet).
Difficulté : Randonnée de montagne facile ; l'ascension du sommet exige un pied sûr et une insensibilité au vertige (en partie escalade II).

Halte et hébergement : Bars-restaurants à Guagno, hôtels et camping à Vico.
Variante : Depuis le pied du Mont Tretorre, longer la base de la paroi rocheuse à gauche puis suivre la crête pour monter en 1 h 30 au Monte Cervellu, 1624 m.
Carte : ign 4251 OT (1:25 000).

Depuis l'église à **Guagno**, nous parcourons 100 m en sens inverse sur la route et nous bifurquons à gauche dans une petite route que nous quittons 100 bons m plus loin par un chemin qui se détache à droite (écriteaux »U Tretorre«). Après une courte descente, celui-ci débouche à nouveau sur la route que nous quittons déjà au bout de 100 m par une voie carrossable se détachant à gauche. 100 m plus loin, un ancien chemin bifurque à gauche et nous mène en

Le chemin de crête vers le pied du Mont Tretorre passe par d'imposantes dalles.

contrebas au pont enjambant le ruisseau d'Albelli (15 mn).

Le chemin monte directement sur l'autre versant de la vallée à travers la pente – et prend à droite près de la source (attention au balisage orange !). Au bout de 15 mn, le chemin se dirige devant une petite paroi rocheuse vers la gauche, puis, quelques minutes plus tard à nouveau vers la droite. Pendant l'ascension confortable sur l'ancien chemin, en partie fortement labouré par des cochons, nous avons de temps à autres de belles vues sur Guagno, Orto et la crête principale de la Corse. Après un nouveau quart d'heure, le chemin se dirige vers un petit vallon et monte en passant devant une maison délabrée vers un petit col peu profilé. De là, nous continuons à monter à droite (garder la droite ; attention aux cairns et aux repères oranges !). 10 mn plus tard, le chemin monte à nouveau à travers un petit vallon et passe à gauche d'une maison en ruines. Le chemin se redresse maintenant et monte légèrement sur la droite à travers le versant, franchit 10 mn plus tard une porte à claire-voie et passe au bout de 20 mn devant de gigan-tesques blocs de roche. Maintenant le paysage est constitué de pins. Le sentier ensuite débouche sur une piste que se termine 10 mn plus tard à la **Bocca di Campu d'Occhiu**, 1236 m.

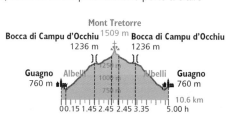

85

Nous restons sur le chemin qui s'étire tout droit. Il conduit d'abord de l'autre côté de la crête en se tenant à gauche sur le versant et monte bientôt directement par-dessus la crête en partie envahie par des fougères et des genêts – belle vue maintenant sur le Mont Tretorre. Une demi-heure après le col, nous contournons un petit sommet rocheux vers la gauche, puis le sentier se faufile directement par-dessus la crête et traverse bientôt de gigantesques dalles qui s'étendent à gauche vers la vallée. Après 1h, nous arrivons au pied de la paroi du Mont Tretorre (1381 m).

Des grimpeurs chevronnés peuvent monter d'ici à travers le couloir escarpé et couvert de blocs de roche vers le sommet (passages d'escalade II, 1h aller et retour). Il faut compter à peu près une demi-heure pour la montée extrêmement abrupte et laborieuse, partiellement exposée, jusqu'au splendide plateau panoramique idéal pour une halte. Pour venir à bout des derniers mètres jusqu'au sommet, quitter le couloir, faire 10 m sur le plateau puis grimper tout à gauche par une bande rocheuse très étroite et escarpée (escalade exposée sans pouvoir se tenir au rocher, crochet pour corde de sécurité en place !) vers le point culminant du **Mont Tretorre**. Le panorama est ici exceptionnel : d'un côté la crête principale avec la Paglia Orba, le Cinto, le Rotondo et le Monte d'Oro, et de l'autre, le Golfe de Sagone.

L'ascension vers le sommet à travers le couloir abrupt et envahi de blocs rocheux est très pénible avec de nombreux passages d'escalade. A l'arrière-plan, Guagno.

Sommet solitaire – à deux pas de l'agitation du littoral

Le village de montagne isolé de Rosazia avec le Monte Cervellu.

Le trajet par l'étroite et parfois même aventureuse route qui mène à cette destination est à lui seul déjà une expérience. Rosazia est l'un des villages de l'île les plus reculés – et il n'est mentionné dans presqu'aucun guide touristique. Voilà qui explique pourquoi la randonnée vers le Monte Cervellu est si tranquille. L'ascension est peu spectaculaire, mais le sommet offre un spectacle grandiose sur le Golfe de Sagone, le Golfe d'Ajaccio et surtout sur le Mont Tretorre voisin et la crête principale.

Point de départ : Entrée du village de Rosazia, 673 m, à 31 km à l'est de Sagone (depuis Murzo, route étroite et parfois exposée).

Dénivelée : Env.1000 m.

Difficulté : Bon chemin de randonnée en général jusqu'à la Bergerie de Manganu, l'ascension du sommet se fait plus ou moins sans chemin mais n'est pas difficile (problèmes d'orientation éventuels par mauvaise visibilité !).

Halte : Bar-restaurant à Rosazia, hôtels et camping à Vico.

Carte : ign 4151 OT (1:25 000).

Dans le virage en épingle à cheveux juste avant le centre de **Rosazia**, la route traverse le ruisseau de Mulinacciu (pont, 100 m avant le bar Novala). Une étroite route bétonnée part ici à gauche et franchit immédiatement un pont. 15 m plus loin, un sentier balisé en orange bifurque à droite et se divise au bout de 10 mn – suivre ici à gauche (tout droit) le balisage orange. Le joli chemin, par endroits un peu embroussaillé, monte maintenant en sinuant à travers pinède et taillis. 40 mn après la bifurcation, nous ignorons un sentier balisé en rouge qui se détache à droite puis nous passons bientôt devant une petite tête rocheuse et nous arrivons au **Bocca di u Capizzolu**, 1096 m, col discret sur une longue arête effilée.

Nous montons maintenant à droite sur la crête le long d'un mur de pierre. Le chemin panoramique met bientôt à nos pieds Rosazia – du côté opposé, nos yeux se posent sur de bizarres aiguilles rocheuses. Au bout de 30 mn, nous tombons sur un chemin carrossable (chemin du retour pour plus tard à main droite) que nous quittons après quelques minutes à nouveau par le sentier le long du mur. Le chemin balisé se dirige de manière plus accentuée à gauche vers le versant (variante, mais un peu embroussaillée plus tard) – mais nous restons sur la crête. 10 mn plus tard, le chemin croise le mur qui descend ici à gauche, contourne ensuite un petit sommet rocheux avec une croix blanche vers la gauche et continue à monter derrière jusqu'à la **Berge-**

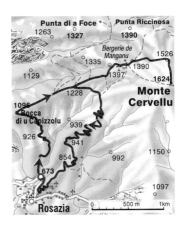

Le dernier passage entre la Bergerie de Manganu et le sommet est parfois quasiment privé de chemin.

rie de Manganu, 1390 m (source, crochet intéressant par la croix blanche). Nous poursuivons maintenant la montée à gauche le long du balisage orange, toujours diagonalement sur le versant. Après une source au bout de quelques minutes, nous grimpons bientôt à travers un vallon – chemin de plus en plus absent – dépassons une autre source, jusqu'à la grande crête suivante par laquelle nous faisons l'ascension du **Monte Cervellu** avec une vue grandiose sur le sommet du pain de sucre du Mont Tretorre.

Le retour emprunte le même itinéraire. Ceux qui le souhaitent (et ne sont pas rebutés par les trois barrières à franchir !) suivent à gauche le chemin carrossable après une heure de descente. Il s'étire en lacets vers la vallée et se divise après 50 mn près d'une maison en pierre délabrée – tourner ici à droite. Quelques minutes plus tard, nous devons franchir l'une après l'autre trois barrières avant de rejoindre par un portail la route à **Rosazia** que nous retrouvons juste à côté du bar Novala.

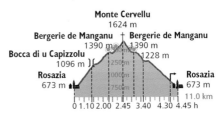

28 *Rocher des Gozzi, 716 m*

**À travers le maquis vers le rocher pano-
ramique surplombant Ajaccio**

*Ce sommet rocheux tombant à pic dans la
Vallée de la Gravona est une loge panoramique par excellence d'où l'on peut obser-
ver en toute tranquillité l'agitation dans les
zones fertiles devant les immeubles et les
plages de sable d'Ajaccio.*

Point de départ : Chapelle San Chirgu,
417 m. Avant d'entrer dans le village
d'Appietto (avant le cimetière), un chemin carrossable bifurque à droite vers la
chapelle (parking).
Dénivelée : 500 m tout juste.

Difficulté : Excursion facile, montée au
sommet un peu exposée. Retour via la
Punta Pastinaca sur un étroit sentier (dé-
conseillé par mauvaise visibilité).
Halte et hébergement : A Ajaccio.
Carte : ign 4153 OT (1:25 000).

Depuis le parking près de la **Chapelle San
Chirgu**, on fait 30 m en direction de l'abri
d'une antenne-relais puis on franchit une
barrière à droite pour monter à gauche sur
le chemin malaisé au départ, car érodé, via
la crête. Au bout d'environ 20 mn, on dépasse une barrière puis, 10 mn plus tard, un
plateau rocheux (à droite). Ici, le sentier se
détourne à droite de la crête, se redresse et
traverse un versant jusqu'à une cabane en

Vue du sommet sur la Vallée de la Gravona en direction du Monte Renoso.

pierre sur le col devant le Rocher des Gozzi (1h30). D'ici, un sentier bien visible conduit vers un petit cirque rocheux qui sépare l'énorme paroi de roche du sommet du versant couvert de maquis et continue vers le **Rocher des Gozzi**.

Ceux qui veulent continuer, peuvent encore monter depuis la cabane en pierre jusqu'à la **Punta Pastinaca**, 814 m – d'ici, la vue est grandiose avec le massif du Rotondo et celui du Cinto ! Derrière la petite croix sommitale, on prend un sentier pas très visible au départ qui s'étire ensuite le long de la crête par de légères descentes et remontées (balisage rouge par endroits, un peu embroussaillé parfois) avant de descendre en pente plus raide et de se diviser (30 mn) : on pourrait descendre vers Appietto à droite, mais on prend le sentier sur la gauche et on rencontre au bout de 75 m le chemin de l'aller qu'on suit à droite pour retourner à notre point de départ.

Sur le sommet de la Punta Pastinaca.

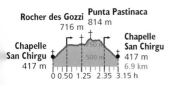

Rocher des Gozzi — 716 m
Punta Pastinaca — 814 m
Chapelle San Chirgu — 417 m
Chapelle San Chirgu — 417 m
6.9 km
500 m
0 0.50 1.25 2.35 3.15 h

Boucle panoramique au-dessus du Golfe d'Ajaccio

Le Sentier des Crêtes est non seulement un itinéraire souvent emprunté par les Ajacciens, mais également l'un des sentiers de randonnée les plus célèbres de la région. Avec raison, car la randonnée sur la crête de Salario est magique ! Bien sûr parce qu'elle est belle et aisée, mais aussi et surtout parce qu'elle offre des vues merveilleuses sur la ville et le golfe ainsi que de magnifiques paysages.

Point de départ : Démarrage au « Bois des Anglais », 75 m (arrêt de la ligne de bus 7) à Ajaccio. Arrivée : emprunter la N 193 (Cours Napoléon) vers le centre-ville, tourner à droite à la Place Charles de Gaulle et continuer tout droit jusqu'à la Place d'Austerlitz. Avant d'y arriver, suivre à droite le panneau « Bois des Anglais » (Av. Nicolas Pietri) pendant 650 m jusqu'à un rond-point. Juste avant, une petite rue bifurque pleine gauche – c'est ici que commence le sentier de randonnée (grand écriteau, petit parking, possible de se garer aussi sur la Place d'Austerlitz ou dans l'Av. Nicolas Pietri/Av. de Verdun).

Dénivelée : 550 m.

Difficulté : Sentier de randonnée en majorité aisé et bien balisé.

Halte et hébergement : À Ajaccio.

Carte : ign 4153 OT (1:25 000).

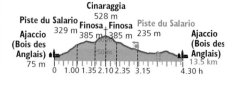

Au parking des randonneurs **Bois des Anglais** (grand écriteau), on oblique à gauche dans une petite route qui débouche sur un large chemin 50 m plus loin (barrière). Nous suivons en permanence l'itinéraire principal balisé en jaune/bleu qui monte tranquillement en serpentant au bout de 150 m (écriteau « Sentier des Crêtes »). Il s'étire à travers un maquis clairsemé et met la ville et le golfe à nos pieds. Après le huitième tournant, le chemin oblique à gauche vers le versant avant de s'élever brièvement en pente raide quelques minutes plus tard et de se

Vue magnifique sur la ville au retour.

diviser. On continue ici à monter tout droit direction « Piste du Salario » (chemin du retour à gauche) – ce passage est magnifique avec des vues merveilleuses ! Le maquis redevient bien touffu et nous arrivons à un large chemin transversal qui débouche sur une large piste à gauche au bout de 70 m (**Piste du Salario**). On la suit à droite sur 100 m jusqu'à ce qu'un sentier balisé en bleu/orange (puis jaune) bifurque à gauche après deux citernes (vue grandiose en direction de la Vallée de la Gravona !). Il court plus ou moins directement sur la large crête tout en offrant une vue magnifique sur le golfe, plus tard aussi sur les Iles Sanguinaires et à droite sur le joli plateau

rocheux de Punta di Lisa. Le sentier s'étire maintenant sur le versant à droite de la crête du Salario, parfois à l'ombre d'une forêt vierge. Il retourne ensuite à la crête puis se divise – on continue ici tout droit vers « Vignola ». On arrive bientôt à l'ancienne cabane de berger de **Finosa** derrière laquelle le chemin se divise (belle aire de repos, chemin du retour à gauche).

Il est conseillé de faire un crochet par le sommet du Cinaraggia droit devant : le chemin se redresse pendant quelques minutes jusqu'à un petit plateau sur la crête avant de s'étirer à travers une cuvette jusqu'au plateau suivant où nous attendent d'incroyables rochers tafoni, dont un « dinosaure ». Environ 5 mn plus tard, un petit sentier se détache vers le maquis (cairn) et grimpe en quelques minutes au sommet du **Cinaraggia** (croix en bois, escalade facile) – merveilleux belvédère avec vue sur les contreforts d'Ajaccio, les Iles Sanguinaires et la plage de Minaccia.

Après ce crochet, on continue à gauche à l'embranchement de **Finosa**. Le chemin s'étire à travers le versant, dépasse une grosse tête rocheuse au bout de quelques minutes (beau point de vue), puis on découvre la séduisante plage d'Ariadne. On débouche peu après sur un chemin transversal, le Sentier des Crêtes, qui nous ramène tout à gauche vers Ajaccio. Il traverse le versant, toujours à la même altitude, puis dépasse une source captée au

L'ascension du sommet du Cinaraggia passe à travers un monde d'êtres fabuleux.

bout de 20 mn. On arrive juste après à une importante bifurcation avec une source et des bancs – on continue ici tout droit (un sentier à gauche conduit à la Piste du Salario). Au bout de 20 mn, on pourrait suivre légèrement à droite à la bifurcation le chemin jusqu'au cimetière des Sanguinaires en bordure de la route du littoral (30 mn), mais nous suivons légèrement à gauche le Sentier des Crêtes qui se redresse un peu brièvement avant de s'étirer après un col, toujours à la même altitude, au-dessus des tours d'Ajaccio. Quelques minutes plus tard, on rejoint un autre col avec une bifurcation (vue grandiose sur la ville depuis le petit sommet à droite). On continue ici à gauche (puis tout droit 70 m plus loin) et on monte légèrement. Après 10 bonnes mn, on passe devant une maison en ruine et on débouche bientôt sur le chemin de l'aller. On prend ici à droite et on retourne au **Bois des Anglais**.

Retour par le Sentier des Crêtes.

Randonnée de crête solitaire avec un grandiose panorama

Pendant cette promenade solitaire, nous ne rencontrons que des vaches. Il semble en revanche que les randonneurs ne s'aventurent que rarement sur ce beau sommet panoramique qui nous dévoile non seulement les baies d'Ajaccio et de Sagone mais aussi le Monte d'Oro, Renoso, Rotondo et Paglia Orba.

Point de départ : Tavaco, 481 m. Possibilité de se garer dans le centre-bourg ou au départ du sentier.
Dénivelée : 800 m.
Difficulté : Sentier en général bien balisé, parfois un peu laborieux (maquis). Nécessite une certaine condition physique et un bon sens de l'orientation (surtout dans la descente). Ombre rare !
Halte et hébergement : A Ajaccio.
À faire : Visiter la cité des tortues A Cupulatta sur la N 193 au km 21 (www.acupulatta.com).

Variante : Descente du sommet direction ouest (via la crête) vers Sari-d'Orcino.
Carte : ign 4151 OT (1:25 000).

A **Tavaco**, au premier tournant à droite, nous contournons à gauche une maison en empruntant une ruelle latérale. Tout en restant sur notre gauche, nous continuons vers l'ouest, en passant par des pâturages clôturés et devant un cimetière, jusqu'à la fin de la petite route asphaltée. Là, près d'un **noyer** (écriteau), nous empruntons l'agréable sentier un peu embroussaillé au début qui part à droite et monte à gauche du ruisselet à travers une vallée couverte de

Vue depuis l'antécime vers le sommet de la Punta Sant'Eliseo.

maquis. Bientôt, près d'une ci-terne, le sentier bien visible bi-furque vers le versant droit de la vallée. Au bout de 30 mn, nous nous trouvons sur l'**arête** qui in-dique maintenant la direction à suivre pour l'ascension (juste avant de la rejoindre, suivre à la bifurcation le sentier principal à droite). Arrivés à la ramification d'un sentier vers la droite, nous continuons tout droit. Le sentier reste visible et le maquis n'est pas trop gênant. Après 1h30 de marche, les premiers sommets secondaires émergent devant nous. Nous continuons ici légè-rement sur la gauche (pas trop !) pour arriver sur la petite éléva-tion d'un sommet avec sa mu-rette de pierres. Mémorisez bien ce sommet et la suite du par-cours pour la descente ! Nous poursuivons notre chemin sur la crête vers le nord, contournons à gauche les élévations de roche sur la crête puis grimpons enfin la pente escarpée jusqu'au som-met de la **Punta Sant'Eliseo** (antenne).

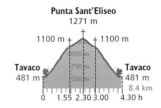

Promenade de crête vers les pozzines au massif du Monte Renoso

Le Plateau d'Ese pourrait être un beau lieu d'excursion s'il n'y avait pas cette station de ski avec plusieurs remonte-pentes. Les pozzines paradisiaques en contre-haut des bergeries et bien accessibles depuis le Plateau d'Ese après une courte excursion panoramique, très appréciée des Corses, offrent un panorama totalement différent. Les prairies humides parcourues de cours d'eau sont peuplées de vaches en train de paître, parfois aussi de cochons et de chevaux.

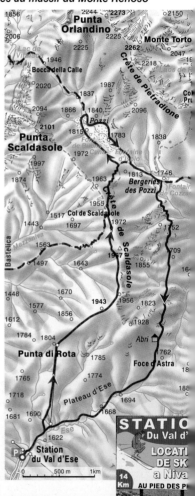

Localité dans la vallée : Bastelica, 780 m, village natal du combattant de la liberté Sampiero Corso, au sud-ouest du Monte Renoso.
Point de départ : Station de ski du Val d'Ese, 1610 m, accessible de Bastelica par une bonne route de montagne (12 km).
Dénivelée : 600 m.
Difficulté : Randonnée facile sur des sentiers bien balisés.
Halte et hébergement : Eventuellement buvette à la station de ski, restaurants, hôtels et camping à Bastelica.
Variantes : Crochet par le lac solitaire de Vitalaca, 1777 m (1h aller) : à la bifurcation juste après la cascade, suivre l'itinéraire de randonnée balisé en rouge qui monte à gauche vers le Bocca della Calle, 1946 m (35 mn). D'ici, le chemin s'affaisse abruptement sur la gauche puis descend après 20 bonnes mn, avant un ultime ressaut, à gauche et tourne enfin à la bifurcation à droite dans un sentier distinct (cairns) et par des blocs de roche, jusqu'à la rive ouest du lac (ruisseau ; 30 mn). – Depuis les Bergeries des Pozzi, belle randonnée jusqu'au Col de Verde.
Carte : ign 4252 OT (1:25 000).

98

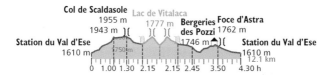

Col de Scaldasole   Lac de Vitalaca
1955 m   1777 m   Bergeries Foce d'Astra
1943 m)(   )( )(des Pozzi   1762 m
Station du Val d'Ese   1746 m▲(Station du Val d'Ese
1610 m   1610 m
750 m   12.1 km

0   1.00 1.30   2.15   2.15 2.45   3.50   4.30 h

Du parking, nous suivons la piste empierrée vers la vallée, en passant devant la **station de ski**, puis nous montons légèrement à gauche à la bifurcation après 5 mn le long du balisage orange et croisons un cours d'eau. Le chemin grimpe ensuite par le tracé du dernier et plus long remonte-pente. A peine 45 mn plus tard, on passe devant le petit bâtiment de la remontée avant de rejoindre, au bout de 15 mn, la Punta di Rota,

1943 m. Une magnifique vue sur Bastelica, le massif du Monte Renoso et l'arête des statues s'offre ici à nous. Continuer sur ce sentier qui se dirige vers la **crête de Scaldasole**. Le parcours est très bien marqué (cairns, orange) et il s'étire à gauche voire sur la large crête qui ne se brise abruptement qu'à l'est. 30 mn après, nous nous trouvons au **Col de Scaldasole**,

Magnifique étape sur l'arête de Scaldasole (au centre, la Punta Orlandino).

Un petit paradis – tout en haut des pozzines avec la cascade.

1955 m. Nous sommes rejoints à gauche par un chemin venant de Bastelica. Le sentier se lance maintenant vers le versant droit et descend vers les pozzines. Un peu en contre-haut du fond de la vallée avec ses prairies humides d'un vert tendre et ses cours d'eau, nous ignorons un sentier qui mène à droite aux Bergeries des Pozzi. Quelques minutes plus tard, le chemin se divise encore une fois – nous continuons ici à gauche (écriteau « Vitalaca »). Le sentier s'étire en gardant la même altitude pendant quelques minutes sur le versant puis se dirige vers une cascade à l'extrémité supérieure des pozzines. Juste avant la cascade, notre sentier franchit le ruisseau à droite et nous nous retrouvons de l'autre côté de la vallée, à une centaine de mètres à droite de la cascade, sur un chemin distinct qui débouche après

Le lac solitaire de Vitalaca.

une courte montée sur un itinéraire de randonnée balisé en rouge. Pour faire un crochet par le Lac de Vitalaca, le suivre à gauche et remonter la vallée (variante). Nous descendons toutefois à droite par le chemin – d'abord par le versant puis directement au fond de la vallée le long du cours d'eau. Des ruisseaux aux eaux limpides et des cuvettes dans les prairies humides d'un vert tendre invitent à un petit rafraîchissement. Là où le ruisseau disparaît entre des taillis d'aulnes, un sentier conduit du côté droit du ruisseau vers les proches **Bergeries des Pozzi**, 1746 m. En haute saison, on peut se procurer du fromage dans les chalets.

Pour retourner par le plus court chemin à la station de ski, suivre l'itinéraire connu via les pozzines puis prendre à gauche par le Col de Scaldasole (1 h 30). Nous choisissons toutefois de rentrer par la romantique **Vallée du Marmano**, peuplée de magnifiques hêtraies : le chemin continue à droite en contrebas des cabanes (écriteau « Eze » 50 m plus loin). Le sentier distinct, balisé en orange/jaune et avec des cairns, descend le long d'arbres courbés par le vent et traverse après 10 bonnes mn le ruisseau sur la droite (ne pas continuer à gauche vers l'aval sur le chemin balisé en rouge !). Il s'étire maintenant par de légères montées et descentes à travers une belle forêt de feuillus et franchit 10 mn plus tard encore une fois un gros ruisseau pour grimper en pente raide jusqu'à un petit haut plateau. La prairie humide suivante est traversée sur la droite puis, au bout de quelques minutes, l'itinéraire de randonnée franchit un autre ruisseau. Nous quittons la forêt juste après. Le chemin continue encore à monter brièvement puis oblique à gauche vers le versant (courte descente abrupte après quelques minutes à la bifurcation). Au bout d'un quart d'heure, nous arrivons à un refuge rudimentairement équipé au col de **Foce d'Astra**, 1762 m. Nous descendons maintenant tranquillement par des prairies à travers la Vallée de l'Ese jusqu'à la **station de ski** (45 mn).

Les prairies humides près des Bergeries des Pozzi.

Le sud de l'île

Golfe de Valinco – Ornano – Sartenais – Alta Rocca – Taravu

Le sud de la Corse semble être depuis toujours l'une des zones d'habitation les plus appréciées des Corses. Déjà les Torréens et les peuplades mégalithiques de l'ère préhistorique préféraient s'établir ici. Leurs menhirs, leurs lieux de culte et leurs fortifications à *Filitosa*, *Cauria*, *Pagliaju*, *Cucuruzzu*, *Arraggio*, *Torre* et *Tappa* en témoignent encore aujourd'hui. Le sud, la région d'Alta Rocca notamment, est un magnifique paysage lumineux. Il n'y a que dans les montagnes autour du Col de Bavella, que les sommets se dressent sous forme de véritables bastions parfois imprenables. Partout ailleurs nous attendent plutôt d'accueillants sommets et d'étranges formations rocheuses. Le **Golfe de Valinco** compte avec ses merveilleuses baies de sable entourées de petits groupes de rochers, parmi les plus grands paradis balnéaires de l'île. De plus, dans l'arrière-pays de Propriano, de l'**Ornano** et du **Sartenais**, des montagnes panoramiques facilement accessibles sans gros efforts attirent de nombreux randonneurs. Ainsi, une visite de la *Punta di Muro*, 605 m (45 mn à partir du croisement des deux routes D 221 et D 321 près du Bocca di Giovanella), petit sommeux rocheux avec une vue imprenable sur la baie de Propriano, se laisse facilement combiner avec une visite de Sartène. En même temps, près de la *Punta di Buturetu*, 871 m (30 mn de Miluccia), nous pouvons visiter *Olmeto*. En tous les cas, vous ne devriez pas manquer la merveilleuse baie sablonneuse de *Roccapina* avec son fameux rocher en forme de lion.

A la pointe sud de la Corse, nous trouvons *Bonifacio*, la ville la plus impressionnante de l'île avec, au nord, quelques plages particulièrement belles. La plus connue est la plage de Palombaggia au sud-est

Menhir à Filitosa.

de *Porto-Vecchio*. Cette aimable petite ville s'ouvre sur la mer de rochers de l'**Alta Rocca**. Le voyage en voiture jusqu'au village pittoresque d'*Ospédale* avec la vue splendide sur le Golfe de Porto-Vecchio est déjà un événement à lui seul. Impossible lorsqu'on continue vers *Zonza* et le *Col de Bavella* de réfréner sa soif de curiosité. Le Massif de Bavella quant à lui, appelé aussi les « Dolomites de la Corse », jouit d'une popularité exceptionnelle.

Randonnée de crête panoramique au-dessus de la Vallée de Taravo

Le Monte San Petru nous enchante par de beaux paysages rocheux et son panorama grandiose vers le sud, les aiguilles de Bavella et le Golfe de Valinco. Malheureusement, le plaisir de la randonnée n'est pas aussi grand au départ en raison d'un incendie de forêt survenu en 2009.

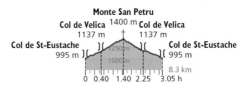

Point de départ : Col de St-Eustache, 995 m, situé sur la D 420 entre Petreto-Bicchisano et Aullène.

Dénivelée : 400 bons m.

Difficulté : Randonnée de crête facile, sur des sentiers distincts et pour la plupart balisés (embroussaillés par endroits).

Halte et hébergement : Snack-bar au col, hôtels à Petreto-Bicchisano et Aullène. Campings sur la côte et à Serra-di-Scopamène.

Variante : Ascension de Petreto (5 h 30 en tout) : au bout du bourg en haut, la rue du village croise la route principale (fontaine). On continue 100 m la rue sur la droite jusqu'à un chemin raide érodé légèrement à gauche (trait jaune). Après une montée généralement tranquille à travers bois, il se divise 25 mn après une barrière – on continue ici à gauche le long de la clôture (balisage jaune). A la bifurcation suivante près d'une barrière pour le bétail, on monte tout droit par l'arête. Encore 25 mn et on franchit un petit ruisseau (10 m plus loin, on monte à gauche !). Au bout de 10 mn, on chemine avec un plateau panoramique sur la droite. On traverse maintenant le versant en restant à la même altitude, on franchit deux ruisseaux, puis le chemin monte en pente raide jusqu'au Foci Stretta ou on débouche sur la boucle.

Carte : ign 4253 OT (1:25 000).

Nous suivons depuis le Col de St-Eustache la large route empierrée vers l'ouest et nous tournons légèrement à droite au bout de 100 m dans l'étroit chemin caillouteux qui débouche après tout juste 15 mn dans un large sentier (toujours tout droit, balisage jaune). Après 30 bonnes mn, on rejoint la crête (Col de Velica, 1137 m). Nous prenons ici à gauche le sentier bien balisé, dépassons le sommet rocheux de la Punta Pinitelli, 1201 m (à droite) et le sommet couvert de maquis de la Punta di Ziffilicara, 1207 m (à gauche) puis longeons la crête pour découvrir devant nous le Monte San Petru et

dans la vallée la petite ville de Petreto-Bicchisano. Les fougères cèdent bientôt la place aux genévriers nains, aux genêts et à la bruyère arborescente. Nous laissons quelques blocs de roche sur notre droite et continuons vers un rocher caractéristique tout droit en contournant à droite le

Curieux décor rocheux près du Monte San Petru.

terrain suivant, parsemé de rocs. Il nous reste maintenant à traverser une petite cuvette avec d'énormes blocs rocheux taillés, tout lisses, et nous pouvons accéder par la gauche (le sud) au sommet du Monte San Petru (sommet coiffé d'antennes derrière).

Une agréable variante nous attend pour la descente : emprunter au départ le chemin de la montée jusqu'au Col de Velica (45 mn), continuer tout droit sur le côté droit de la crête, puis, après quelques minutes, sur le côté gauche à travers une pinède (qui a brûlé). Le paysage autour du sentier balisé en jaune était autrefois plus beau que sur l'itinéraire de la montée depuis le Col de St-Eustache. Après 20 mn, nous remarquons à droite en contre-haut du chemin un rocher bizarre (un peu dissimulé) ayant presque la forme d'un champignon. Au bout de 5 bonnes mn, nous parvenons à un embranchement indistinct sur un petit plateau herbeux. A gauche, le chemin descend à Petreto (variante) mais nous restons à droite et franchissons la crête peu découpée avant de descendre au proche Col de St-Eustache.

Agréable flânerie entre le Golfe d'Ajaccio et le Golfe de Valinco

Le cap entre le Golfe d'Ajaccio et le Golfe de Valinco se prête à une randonnée très romantique ponctuée de baignades sur la côte.

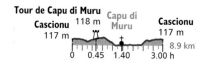

Tour de Capu di Muru

ner à gauche vers la Cala d'Orzu) jusqu'au bout de la route dans le hameau de Cascionu (possibilité de stationnement).

Dénivelée : 250 bons m.

Difficulté : Randonnée facile sur des chemins et des sentiers qui exigent parfois un certain sens de l'orientation.

Halte : Bars-restaurants à la Cala d'Orzu, évent. buvette au départ (distributeur de boissons).

Carte : ign 4254 OT (1:25 000).

Point de départ : Cascionu, 117 m. De la D 155 (Bocca di Filippina, écriteau « Capu di Muru ») parcourir 4,5 km sur une route asphaltée étroite (après 3,5 km ne pas tour-

Au bout de la route à **Cascionu**, nous prenons l'étroit chemin carrossable tout droit et laissons sur la droite une route asphaltée. 5 mn plus tard, nous continuons légèrement à gauche sur ce chemin (et pas à droite direction crête), puis nous ignorons après 5 nouvelles mn un autre chemin qui descend légèrement à gauche (variante pour le retour, beaucoup de broussailles). Nous traversons le versant couvert de maquis en restant à la même

Ambiance très romantique au Capu di Muru.

altitude puis nous descendons doucement vers un col peu profilé (**Chiappa Rossa**, 89 m ; 25 mn). Un sentier balisé bifurque ici à droite vers la **Tour de Capu di Muru**, 100 m, déjà visible, où nous arrivons 20 mn plus tard. Depuis la plate-forme de la tour génoise (foyer et cheminée à l'intérieur), nous jouissons d'une vue magnifique sur le Golfe d'Ajaccio avec la capitale de l'île jusqu'à la crête principale de la Corse.

De la tour, nous suivons le chemin qui monte et se divise au bout de 15 m (possibilité de descendre à droite jusqu'à la côte sous la tour, 10 mn) – nous continuons ici à monter à gauche. A la bifurcation au bout de 5 mn, nous arrivons à gauche après 50 m à la Casa de Capu di Muru (141 m). Nous croisons ici le chemin carrossable de l'aller et nous continuons à suivre le sentier direction Madonuccia (nous passons 25 m plus loin devant un four en pierre) qui mène à une grande clairière puis jusqu'au point culminant de la crête par laquelle nous descendons maintenant sans interruption. Au bout

Vue de la Tour de Capu di Muru sur le Golfe d'Ajaccio.

de 20 mn, nous prenons à droite à la bifurcation (écriteau), même chose 3 mn plus tard, et nous descendons par un large couloir, bordé de chaque côté de jolis groupes de rochers, vers la mer (10 mn) que nous longeons ensuite sur la gauche. 10 mn plus tard, le sentier traverse une barrière rocheuse et conduit vers une petite baie, un peu sablonneuse, au-dessous du petit phare au **Capu di Muru**. Dans la baie se trouvent aussi une statue de la vierge et une chapelle qui sert en même temps de lieu de pique-nique – un endroit magnifique pour se reposer, se baigner et flâner.

Nous nous tournons maintenant vers le Golfe de Valinco et nous arrivons quelques minutes plus tard à un bâtiment avec embarcadère (joli lieu de baignade). Le chemin descend et monte légèrement un peu au-dessus de la côte avant de se diviser au bout d'une demi-heure (il est conseillé de faire un crochet à droite par la Cala di Muru, belle petite baie sablonneuse, 15 mn ; juste après les Rochers de Monte Biancu). On monte ici à gauche par l'itinéraire principal balisé (à droite près du mur quelques minutes plus tard) jusqu'à la crête (15 mn) qui retourne à droite vers **Cascionu** en 30 mn.

Avant de retourner à la crête, pourquoi ne pas se rafraîchir à la Cala die Muru ?

Circuit grandiose sur la côte sud-ouest très romantique

Une randonnée côtière enchanteresse : une montée jusqu'à une tour génoise panoramique pour commencer puis une promenade tranquille le long de la côte étrangement modelée au bout de laquelle nous attend une magnifique plage de sable. Retour par un chemin d'altitude tout aussi beau. Ceux qui souhaitent ne pas aller trop loin peuvent interrompre la randonnée dès qu'ils le désirent.

Point de départ : Parking près du centre de Campomoro, joli village balnéaire à la pointe sud du Golfe de Valinco (à 14 km au sud-ouest de Propriano, au bout de la D 121).

Dénivelée : 350 m.

Difficulté : Randonnée côtière facile et tranquille – un court passage d'escalade peut être contourné.

Halte et hébergement : A Campomoro.

Variante : Depuis la Cala d'Aguglia à la Cala di Conca (1 h aller) : suivre à gauche du ruisseau un sentier vers les terres qui franchit après quelques minutes le cours d'eau puis se divise : le sentier à gauche mène via Manna Mulina vers Campomoro, celui tout droit conduit par un col (42 m) à la Cala d'Arana. Depuis une aire de pique-nique à l'ombre de genévriers, le chemin s'étire quelques minutes sur la plage puis il franchit une crête et rejoint la superbe Cala di Conca (→itin. 35).

Idée : Campomoro, Cala d'Aguglia et Cala di Conca sont desservis en haute saison par des bateaux d'excursion (depuis Propriano).

Poursuivre avec l'itin. 35.

Carte : ign 4154 OT (1:25 000).

Nous démarrons la randonnée au parking derrière le centre de **Campomoro** et nous suivons la route du littoral qui rejoint après 10 mn le lotissement de Calanova (accès ré-

La superbe Cala d'Aguglia est le but de la randonnée.

servé aux riverains). 10 mn plus tard environ, nous arrivons au point culminant de la route où se détache sur la droite un chemin de randonnée (écriteau) qui se divise au bout de 10 m : nous continuons à droite (descendre directement vers la côte à gauche pour éviter le crochet par la tour génoise) et à la bifurcation juste après, nous montons à gauche vers la panoramique **Tour de Campomoro**, 78 m (au bout, tourner à gauche à la bifurcation) – entourée par un mur en forme d'étoile, la tour abrite une exposition et l'ascension est donc payante (3,50 €).

L'itinéraire de randonnée descend maintenant direction « Cala Genovese » (écriteau) et débouche après 10 mn sur le sentier littoral. Nous le suivons à gauche, dépassons peu après la magnifique baie rocheuse de la **Cala Genovese** et de bizarres tafoni. 5 mn plus tard, le chemin rejoint la descente directe. Après 15 mn, le sentier littoral se divise. Ceux qui ne veulent pas aller trop loin peuvent rentrer à Campomoro en tournant ici à gauche (*Boucle des Pozzi*, 2 h en tout). Nous restons à droite sur le chemin du littoral qui longe ensuite à droite un imposant massif rocheux avant de monter à travers un couloir de pierres avec un portail rocheux – un tronçon grandiose (le passage d'escalade un peu exposé est sécurisé par des chaînes, peut être contourné aussi à gauche par le sentier équestre). Après le portail rocheux, le chemin « s'assagit » et s'étire la plupart du temps à travers des allées de genévriers avant de rencontrer après un bon quart d'heure, près de la Punta

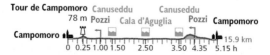

di Scalonu, une une tête rocheuse de forme étrange (magnifiques anses rocheuses en contrebas). Après une vaste étendue herbeuse, nous continuons vers la **Baie de Canuseddu** où nous arrivons près de la petite embouchure d'un ruisseau sur une minuscule plage de sable – un bel endroit pour se reposer et se baigner.

La tour génoise (sur le chemin du retour).

Nous retournons à Campomoro en longeant la rive gauche du ruisseau. Les randonneurs bien entraînés prendront toutefois le sentier littoral (tout droit à travers le trou dans le mur puis franchir le ruisseau), même s'il n'est plus aussi spectaculaire : après 1 h, il arrive à la superbe **Cala d'Aguglia** protégée de la mer par un fjord – cette plage de sable fin, en forme de coquillage, se trouve également à l'embouchure d'un ruisseau le long duquel le sentier littoral continue (→variante).

De retour à la **Baie de Canuseddu**, nous suivons l'itinéraire de randonnée le long du mur en pierre vers l'amont du ruisseau. Il se divise après 5 mn à côté d'une mare – nous continuons ici légèrement à droite sur le chemin indiqué aux randonneurs. Au bout de 5 mn, un chemin venant de droite nous rejoint. L'itinéraire quitte maintenant le cours d'eau et monte en un bon quart d'heure jusqu'à la crête au-dessus de Campomoro. Nous nous dirigeons maintenant par de légères montées et descentes avec bientôt une belle vue sur la tour génoise et la côte (on croise également le sentier équestre), jusqu'à une grande aire de battage sur laquelle débouche la Boucle des Pozzi venant de gauche (10 mn). 20 mn plus tard, notre chemin rejoint au pied de la tour génoise un itinéraire de randonnée qui grimpe à droite jusqu'à la bifurcation que nous connaissons déjà près de la route à Calanova (10 m à droite) – retour par celui-ci à **Campomoro**.

Fin tranquille d'une journée de randonnée à Campomoro.

Fantastique randonnée balnéaire vers le Capu di Senetosa

Cette randonnée de Tizzano à la Cala di Conca est l'une des plus grandioses de l'île. Elle nous offre de magnifiques paysages côtiers façonnés par la nature et parfois semblables à des parcs ainsi que d'enchanteresses baies de sable, toutes plus belles les unes que les autres. Dommage seulement que certaines d'entre elles soient également desservies par des bateaux d'excursion ...

Point de départ : Tizzano, petite station balnéaire à 17 km au sud-ouest de Sartène, au bout de la D 48. Du bar-restaurant Chez Antoine (fin du tronçon asphalté), une piste bien praticable rejoint au bout de 4 km (1 hr à pied) le parking indiqué. (Si la piste est en mauvais état, se garer éventuellement au bout de 3,4 km près de la Baie di Barcaju).

Dénivelée : 450 m.
Difficulté : Promenade facile, aisée mais un peu longue sur la côte.
Halte et hébergement : A Tizzano.
Idée : La Cala di Conca et la Cala di Tivella sont desservies en haute saison par des bateaux d'excursion depuis Propriano.
Poursuivre avec l'itin. 34.
Carte : ign 4154 OT (1:25 000).

Cala di Barcaju   Cala di Tivella   Cala di Conca   **Capu di Senetosa**   Cala di Barcaju

0   0.30 1.10 1.45   2.45   3.45 4.20   5.30 h   16.0 km

Depuis le **parking**, on suit la signalisation (petits panneaux) puis on bifurque à droite dans le « Sentier du littoral » (écriteau). Le sentier s'étire à travers le maquis, longe des blocs de roche et rejoint la côte où il se divise – on continue ici à droite le long d'une superbe côte jonchée de rochers. Au bout de quelques minutes, nous arrivons à une première jolie petite plage sablonneuse, mais nous continuons derrière, sur le sentier rectiligne du littoral (on pourrait aussi rejoindre une piste à droite) qui passe bientôt par une hauteur rocheuse et enfin par une petite plage de sable. Après d'impressionnants amas de rochers, nous arrivons enfin à une petite anse rocheuse avec l'idyllique **Cala di Capicciolu**. Le sentier de randonnée continue à droite de la plage sablonneuse puis grimpe à travers un vallon avec de beaux tafoni jusqu'à une crête. Une fois de l'autre côté, nous descendons, légèrement sur la droite, avec vue sur les baies suivantes et le phare au Capu di Senetosa, dans un autre vallon. Nous arrivons bientôt à la merveilleuse baie sablonneuse de **Cala Longa** entourée de rochers qui s'enfonce loin dans les terres – un lieu de baignade grandiose ! 10 bonnes mn plus tard, l'itinéraire de randonnée traverse probablement la plus belle plage de la randonnée côtière, la **Cala di Tivella** – cette fantastique plage de sable grossier est divisée en son centre par l'embouchure d'un ruisseau tandis que des pins dispensent un peu d'ombre au bout de la plage derrière les dunes (suite de l'itinéraire ici).

L'itinéraire de randonnée traverse un superbe paysage côtier semblable à un parc – ici, juste avant la Cala di Conca.

La randonnée mène à deux baie de baignade paradisiaques – la Cala di Conca (en haut) et la Cala di Tivella (en bas).

Les randonneurs font en général demi-tour ici – alors que la plus belle partie du parcours reste à faire. Cela ne s'applique pas toutefois au tronçon jusqu'au phare. Après 20 mn, le sentier confortable franchit un cours d'eau et nous arrivons quelques minutes plus tard à un carrefour au **Capu di Senetosa** : on pourrait monter à la tour génoise à droite ou continuer tout droit jusqu'au phare, à 150 m d'ici. La randonnée continue cependant au croisement légèrement à gauche par un chemin carrossable légèrement descendant. 2 mn plus tard, nous ignorons un chemin carrossable qui mène à gauche à un embarcadère tout comme à la bifurcation 2 mn plus tard. 15 mn après le carrefour, l'itinéraire de randonnée balisé continue à droite par un sentier qui s'étire un peu à l'écart de la côte en offrant une belle vue sur les eaux bleues turquoises de la baie tandis que d'incroyables rochers tafoni dispersent un peu les fourrés verts de maquis. Vient ensuite la plus belle

étape de la randonnée avec la Calanque de Conca : après 20 mn, le sentier court sur un haut plateau couvert de fleurs puis passe par un minuscule ruban de sable. Le paysage semble ici avoir été façonné par la nature pour ressembler à un parc. On pourrait faire peu après un crochet à droite par une source (Funtana di l'Agula, 5 mn). 10 mn plus tard, nous franchissons un mur en pierre et le sentier débouche sur un chemin carrossable. Après 5 mn supplémentaires, nous voyons à main gauche les ruines de la Casa d'Ana (belle vue sur la Cala di Conca) et nous arrivons juste après à la très belle baie sablonneuse de **Cala di Conca**, pareille à un coquillage, qui invite à une pause baignade prolongée. La plage étant accessible par une piste aux nombreux nids-de-poule, on est rarement seul ici.

Retour : Peu après la Cala di Capicciolu, on peut suivre le chemin carrossable plutôt que le sentier côtier. On marche toujours tout droit avant de tourner à gauche 10 bonnes minutes plus tard près de pylônes, pour prendre à gauche de la clôture le sentier qui la contourne et nous conduit directement au parking proche.

Petit circuit (balnéaire) autour du célèbre Lion de Roccapina

Le Lion de Roccapina est l'une des principales attractions du sud-ouest de la Corse – cette petite excursion en fait le tour, frôlant ce faisant de merveilleux paysages rocheux et deux des plus belles plages de l'île.

Point de départ : Cala di Roccapina, accessible par une piste érodée de 2 km qui quitte près du Bocca di Curali (Auberge Coralli, à 19 km au sud de Sartène) la N 196 Sartène – Bonifacio. (Au croisement de la piste juste après le camping Roccapina, continuer à droite.)
Dénivelée : 220 m.
Difficulté : Randonnée dans l'ensemble facile sur des sentiers distincts, un pied assez sûr est nécessaire par endroits.
Halte et hébergement : Bars-restaurants sur la grand-route, camping Roccapina, hôtels à Sartène ou Pianottoli-Caldarello.
Remarque importante : La plage d'Erbaju appartient en très grande partie au village de vacances de luxe Murtoli à l'extrémité nord de la plage – restez par conséquent dans la moitié sud de la plage et ne laissez pas traîner d'ordures.
Carte : ign 4254 OT (1:25 000).

Depuis le parking au bout de la piste de droite, un large chemin continue (le chemin de retour débouche à la droite après 50 m) et passe sous le célèbre Lion de Roccapina vers la périphérie ouest de la somptueuse **Cala di Roccapina**.

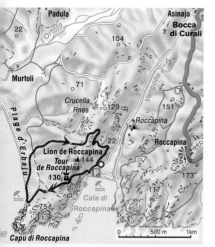

Depuis la plage, deux sentiers montent à la tour génoise déjà visible : un sentier balisé en bleu et quelque peu aventureux commence à droite à côté de la cabane en rondins (à gauche à la bifurcation 20 m plus loin, escalade facile par endroits). – Nous prenons toutefois l'itinéraire normal, plus confortable et plus court, qui démarre 30 m avant la plage à côté d'un gros bloc rocheux. Il monte à droite du grand genévrier, tourne à gauche à la bifurcation 30 m plus loin et s'élève rapidement au-dessus de la plage de Roccapina, tandis que nous pouvons apercevoir de temps en temps aussi le « rocher du lion ». Après une quinzaine de minutes, le

Vue plongeante de la tour génoise sur le sable clair de la Cala di Roccapina.

chemin se divise juste avant une immense tête rocheuse : la branche droite monte à la proche **Tour de Roccapina**, 130 m, à laquelle il est toutefois impossible de monter. La vue panoramique sur la plage de Roccapina d'un côté et sur la plage d'Erbaju de l'autre, sur Uomo di Cagna et Bavella est malgré tout époustouflante, il est même possible de distinguer la Sardaigne. Le lion toutefois n'est visible ici que de profil.

Nous retournons maintenant à la dernière bifurcation et nous continuons ici à droite. Le sentier de randonnée balisé s'étire au pied des rochers puis s'abaisse tranquillement, bien que sur des éboulis, jusqu'à la **Plage d'Erbaju** dont nous rejoignons l'extrémité sud près d'un amas de rochers. Cette magnifique plage de sable, longue d'environ 2 km, est sans conteste l'une des plus belles – et des plus solitaires – de l'île.

Nous poursuivons notre marche le long de la plage. Après 5 bonnes mn, nous continuons à droite derrière la plage et suivons le chemin carrossable jusqu'à ce qu'une sentier bifurque après quelques minutes derrière un terrain clos le long de la clôture (écriteau « Roccapina » 15 m plus loin). Il fonce d'abord directement sur le Lion de Roccapina et arrive au bout de 10 bonnes mn à la crête à gauche du lion. L'itinéraire s'étire maintenant pendant 5 mn à gauche sur la crête puis descend tranquillement par de larges lacets via un ancien chemin carrossable (possibilité de prendre un raccourci quelques minutes plus tard). Souvent érodé et un peu embroussaillé, il débouche après 15 mn sur la piste menant à la Cala di Roccapina près du par**king**.

Tour de Roccapina
112 m   Cala di Roccapina
Cala di Roccapina   Plage d'Erbaju   Auberge Coralli
Auberge Coralli   114 m
                             8.8 km
0   0.45   1.30 h

37 *Uomo di Cagna, 1217 m*

Un célèbre rocher vacillant comme but de promenade

Ce sommet dans le sud de l'île est une curiosité à lui seul : un énorme rocher vacillant, point de repère autrefois important pour la navigation, trônant audacieusement sur un étroit bloc de roche.

Point de départ : Parking près de l'église de Giannuccio, 467 m, village à

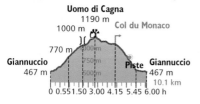

Uomo di Cagna
1190 m
1000 m   Col du Monaco
770 m
Giannuccio   Piste Giannuccio
467 m   467 m
10.1 km
0 0.55 1.50 3.00 4.15 5.45 6.00 h

9,5 km au nord de la route Pianotolli – Roccapina.
Dénivelée : Env. 850 m.
Difficulté : Excursion en montagne fatigante sur de bons sentiers, pénible escalade de rochers dans l'ascension du sommet, chemin mal indiqué à la fin.
Halte et hébergement : Bar-restaurant et hôtels à Monaccia, camping à Pianotolli-Caldarello.
Carte : ign 4254 OT (1:25 000).

Depuis l'église de **Giannuccio**, nous suivons les panneaux indiquant « Omu di Cagna » jusqu'à un autre parking. C'est ici que commence tout à gauche le « Sentier l'omu di cagna » (écriteau) qui monte en longeant un mur de pierre et passe au bout de quelques minutes à gauche d'un château d'eau. Juste après, le sentier de randonnée traverse le versant en restant plus ou moins à la même hauteur avant de s'élever après un petit ruisseau jusqu'à un **haut plateau** couvert de bruyère arborescente tandis que nous apercevons déjà au loin le rocher vacillant (1 h environ en tout). De gigantesques blocs de rochers superposés en terrasses aux silhouettes parfois étranges nous entourent et une pinède nous prodigue de l'ombre. Vient ensuite un

haut plateau (col) avec d'agréables aires de repos sur lequel le chemin se ramifie (1 h 45 en tout ; ceux qui n'ont pas le pied sûr feront demi-tour ici). L'itinéraire principal court à droite puis tourne brusquement à gauche au bout de 25 m près d'un portail rocheux et

d'un gros cairn (points bleus). Il se faufile à gauche en montant et en descendant continuellement autour du promontoire vers un haut plateau en pente (à peine 1 h ; très laborieux, respecter le balisage bleu et les cairns !). Le chemin se divise ici encore une fois : à gauche un sentier mène au Plateau de Presarella et au Col du Monaco (variante pour le retour), mais nous montons à droite sur le sentier distinct balisé en bleu (« Cagna » sur un rocher) jusqu'à la crête à côté du sommet sud de la Cima di Cagna (10 mn). Nous voyons réapparaître devant nous le rocher vacillant. Le balisage conduit de l'autre côté de la crête par de légères montées et descentes jusqu'à un grand portail rocheux sur la crête (10 bonnes mn) puis continue légèrement à droite par un passage d'escalade très pénible sur des blocs de roche (balisage au départ) jusqu'au **rocher panoramique** directement en face du rocher vacillant duquel nous avons une vue splendide sur le sud de l'île (10 mn, terrain très difficile ; la première ascension de l'Uomo di Cagna, avec des cordes, date de 1970).

L'itinéraire du retour emprunte le chemin de la montée. Les randonneurs endurcis et dotés d'un bon sens de l'orientation peuvent aussi rentrer à Giannuccio par le Col du Monaco (chemin par endroits très embroussaillé mais aussi très indistinct). Le plus simple est de retourner par le chemin de l'aller jusqu'à la bifurcation sur le haut plateau en pente (cf. ci-dessus ;

Sur le haut plateau – devant nous le rocher vacillant de l'Uomo di Cagna.

Au retour : le plateau envahi par les fougères (en haut) – près du Col du Monaco (en bas).

30 mn depuis Uomo di Cagna ou 5 mn depuis la crête à côté du sommet sud de la Cima di Cagna). Monter brièvement ici à droite sur un sentier bien tracé (cairns) jusqu'à un plateau envahi de fougères que nous franchissons dans le sens de la longueur sur la droite pour commencer puis, après une source, sur la gauche, sans jamais quitter le haut plateau de la crête. 10 mn après l'arrivée sur le haut plateau, le sentier désormais balisé en jaune et bleu descend à gauche d'un portail rocheux en forme d'anse (rester légèrement sur la gauche et faire attention au balisage !) toujours en direction du sommet rocheux et couvert de pierres de la Punta di Monaco. 25 mn plus tard, le sentier rencontre dans une vallée envahie par la bruyère arborescente avant la Punta di Monaco, un large chemin transversal bien dégagé qui monte depuis Giannuccio jusqu'au proche **Col du Monaco**, 1103 m. Nous le suivons franchement à gauche vers la vallée. Au bout de quelques minutes, il passe devant un très grand pin et s'étire toujours diagonalement sur le versant au-dessus de la vallée de plus en plus profonde. Malheureusement, le chemin n'étant pas toujours distinct, il faut faire très attention aux cairns et au balisage (en cas de doute choisir le chemin du haut). Après une bonne demi-heure, le chemin descend en pente raide – dévoilant pour la première fois Giannuccio – à travers bois et traverse 10 mn plus tard un couloir escarpé. Au bout de 30 mn, le chemin débouche sur une piste forestière transversale qui rejoint peu après un chemin carrossable transversal – qui nous ramène en 15 mn à **Giannuccio**.

Village alpestre idyllique et double sommet rocheux

Bitalza est l'un des villages alpestres les plus pittoresques de l'île. Les cabanes en pierre, parfois habitées en été et le week-end, se regroupent autour d'un haut plateau herbeux avec un autel et une statue de la vierge comme dans un amphithéâtre, formant un ensemble parfaitement harmonieux. Le beau chemin de randonnée de Vacca jusqu'au village alpestre peut être emprunté par tout le monde, le crochet jusqu'au sommet panoramique du Capellu en revanche est réservé aux alpinistes expérimentés car le parcours à suivre n'est pas distinct et demande un peu d'escalade à la fin.

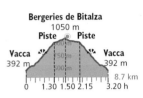

Point de départ : Vacca, 392 m, petit village au nord-ouest de Sotta (accès par une route étroite via Borivoli, à 9 km de la D 59 Sotta – Col de Bacinu – Carbini). Se garer avant le bourg en bordure de route.
Dénivelée : 700 m tout juste.
Difficulté : Randonnée facile, parcours un peu embroussaillé au début.
Halte et hébergement : Restaurants, hôtels et campings à Sotta et Porto-Vecchio.
Variante : De Bitalza au Capellu, 1205 m (1 h 15 l'aller, passages très embroussaillés, pied sûr, insensibilité au vertige et sens de l'orientation nécessaires, notamment par mauvaise visibilité) : depuis la chapelle de plein air avec la Vierge, monter jusqu'au four à pain au cœur du bourg. 10 m à droite, monter jusqu'au plateau au-dessus du village alpestre pour rejoindre à côté d'une forteresse rocheuse un chemin carrossable qui se termine ici. 10 m plus loin, un sentier balisé avec des cairns se détache à gauche du chemin carrossable. Il passe d'abord par la crête (oblique à gauche à la bifurcation 50 m plus loin et croise juste après un chemin transversal balisé en jaune), puis monte à gauche, presque toujours en diagonale, à travers le versant et regagne

la crête après un bon quart d'heure juste avant le Capelluccio. Au-delà de la crête, descendre doucement sur un plateau en direction du double sommet du Capellu (très embroussaillé par endroits). Après 10 mn, monter dans un petit couloir (passage d'escalade facile), puis marcher plus ou moins en diagonale sur le versant, au pied du sommet nord (1219 m) pour monter jusqu'à la brèche entre le sommet nord et le sommet sud (15 mn). De là, il faut bientôt grimper à gauche par des rochers jusqu'au sommet sud du Capellu (15 mn, escalade facile).
Carte : ign 4254 OT (1:25 000).

Vue du Capellu vers Bitalza.

Un ensemble harmonieux – le village alpestre de Bitalza.

Le point de départ est le grand vieux four à pain sur le côté droit de la route à **Vacca**. L'itinéraire de randonnée commence à gauche du four et monte résolument à travers le maquis et la forêt mixte, plus tard par une pinède, ne dévoilant que de temps en temps la pointe sud et les

Vue sur le Capellu (à gauche).

forteresses rocheuses à l'écart du chemin. Après 1 h, ce beau chemin un peu embroussaillé au départ franchit un ruisseau et débouche une demi-heure plus tard sur une piste forestière (bien noter l'embranchement pour la descente !). Nous l'empruntons maintenant pour monter. Après 5 bonnes mn, un sentier distinct jalonné de cairns oblique à gauche entre deux cairns et nous mène en 10 mn par une pinède jusqu'à la vaste clairière envahie de fougères avec les **Bergeries de Bitalza**. La chapelle de plein air avec une statue de la Vierge dans les champs au pied des bergeries nous offre une belle aire de repos mais il faut absolument faire un tour dans ce village alpestre abandonné la plupart du temps. Le crochet par le Capellu est chaudement recommandé – mais le chemin qui y mène est par endroits très embroussaillé et difficile à trouver, notamment au début (→variante).

Promenade vers les criques sablonneuses à l'ouest de Bonifacio

Le sentier côtier à l'ouest de Bonifacio fait découvrir au randonneur quelques belles criques sablonneuses, parfois spectaculaires, bordées de falaises de craie. Au retour, il lui dévoile également de magnifiques vues sur la petite ville portuaire.

Point de départ : Port de Bonifacio. Parkings au port et dans la haute ville (panneaux). Liaison en car avec Porto-Vecchio et Ajaccio.
Dénivelée : Env. 300 m.

Difficulté : Chemin de promenade facile et parfaitement aisé.
Halte et hébergement : Restaurants, hôtels et campings à Bonifacio.
Carte : ign 4255 OT (1:25 000).

Depuis le port de **Bonifacio**, on recule de 200 m dans la grand-rue et on tourne à gauche avant le camping de L'Araguina dans le « Sentier des Plages ». Légèrement raide, il

Plage de la Catena   Anse de Paragan
Bonifacio   Fazio   **Bonifacio**
9.9 km
0 0.25 1.05 1.30   3.00 h

s'élève à travers les falaises de craie jusqu'à un plateau où nous croisons un chemin carrossable. L'itinéraire de randonnée large, souvent pavé de pierres et bordé de murettes de pierres, s'abaisse maintenant à travers un vallon, puis oblique à droite à une bifurcation (il est conseillé de faire un bref crochet à gauche par la **Plage de la Catena,** petite étendue sablonneuse dans une crique près de Bonifacio). Peu après, le chemin s'étire à nouveau sur le plateau et permet de voir brièvement la haute ville de Bonifacio. Le chemin que

nous prendrons plus tard au retour vers l'Anse de Fazio oblique à gauche dans la dépression de terrain suivante. Environ 700 m plus loin, nous arrivons à l'**Anse de Paragan** (Cala di Paraguano) – le Mont de la Trinité rocailleux avec l'ermitage est un véritable point de mire au-dessus de la crique de sable blanc au bord de la mer turquoise.

On fait maintenant demi-tour et on tourne au bout de 700 m (10 mn) à droite dans le sentier direction « Fazio – Madonetta » (encore à droite juste après). Il nous mène en 15 mn à peine à la grandiose **Anse de Fazio** encadrée par des falaises de craie et l'île de Fazio, où on peut se baigner sur la petite plage – malheureusement, cette fameuse baie est également la destination de nombreux bateaux d'excursion, ce qui la rend nettement moins idyllique. L'itinéraire de randonnée monte maintenant en décrivant une courbe jusqu'au plateau suivant et s'étire dorénavant en bordure des falaises de craie (l'accès étroit à l'Anse de Fazio n'est visible qu'en faisant un détour), bientôt dévoilant la ville de Bonifacio. Après le phare de **Madonetta**, nous longeons encore un superbe point de vue sur Bonifacio avec son fjord portuaire, puis le chemin oblique à nouveau vers l'intérieur des terres. Au bout de 15 mn, nous débouchons sur le chemin de l'aller que nous suivons à droite pour retourner à **Bonifacio**.

Promenade sur les falaises et vue fabuleuse sur Bonifacio

Cette petite ville de Bonifacio, fondée vers 830 par Boniface, marquis de Toscane, à la pointe sud de l'île, est le site le plus impressionnant de l'île. Côté mer, les maisons s'agglutinent à l'extrémité d'une haute falaise de calcaire. Côté baie portuaire (marine), pareille à un fjord, d'énormes murs et tours protègent la haute ville. Jadis, ce château-fort a su résister à toutes sortes d'envahisseurs, mais aujourd'hui, pendant la saison estivale, la ville déborde littéralement de hordes de touristes. Certes, nous ne voulons pas renoncer à une visite de la vieille ville, mais une promenade le long des falaises vers le phare au Capu Pertusatu est bien plus reposante.

Point de départ : Port de Bonifacio, parkings près du port et dans la haute ville (panneaux). Liaisons en bus vers Porto-Vecchio et Ajaccio.
Dénivelée : 300 m.

Difficulté : Promenade facile. Attention : risque de chute au bord des falaises !
Halte et hébergement : Restaurants, hôtels et campings à Bonifacio.
Carte : ign 4255 OT (1:25 000).

Bonifacio depuis le chemin menant au phare du Capu Pertusato.

A gauche de l'**église St-Erasme**, une large ruelle en escalier, la Rastello, nous conduit du port au **Col St-Roch** d'où nous pouvons descendre vers une étroite bande de sable, la plage de Sutta Rocca. Au col, nous nous dirigeons à gauche vers le chemin qui s'étire en bordure de la falaise. Après 35 mn, ce chemin se divise : un sentier embroussaillé descend tout droit en pente raide vers un vallon mais nous restons sur le haut plateau et arrivons après quelques minutes à un carrefour où nous suivons à droite la route qui descend. Nous la quittons après 3 mn juste après le fond de la vallée par un chemin qui se détache à gauche et monte jusqu'à un fort tombé en ruine. Nous prenons ici à droite et

Près du phare, une belle plage de sable nous attend devant l'Île St-Antoine.

retournons à la route sur laquelle nous croisons en chemin une tour militaire. Elle traverse peu après un autre vallon – 20 m après le fond de la vallée, un raccourci se détache à gauche et débouche quelques minutes plus tard sur la route. Au bout de 5 mn, la route s'achève au **phare**. D'Ici, seuls 12 km nous séparent de la Sardaigne et les Îles Lavezzi sont aussi parfaitement visibles. Pour se rendre à la baie de sable et à l'île St-Antoine sous le phare, prendre le chemin qui y mène depuis le phare.

Derrière le phare, un sentier longe les falaises puis conduit en un quart d'heure environ (courte descente escarpée à la fin) au pied d'une falaise de grès en surplomb juste au-dessus de la Cala di Labra – de nombreux stalactites pendent de la voûte, des fougères et des figuiers s'y sont aussi établis.

Falaise en surplomb avec des stalactites à la Cala di Labra.

Un paradis ilien entre la Corse et la Sardaigne

Les Îles Lavezzi sont un but d'excursion extrêmement populaire que des bateaux proposent avec un circuit jusqu'aux grottes et falaises à la pointe sud et jusqu'à l'« île des millionnaires » de Cavallo, mais il est possible d'interrompre le circuit à Lavezzi pour se baigner. Ce bout de

terre qui enchante les touristes notamment grâce à ses plages paradisiaques et à ses fantastiques formations granitiques, possède également une flore très riche avec un nombre assez important de plantes endémiques.

les Lavezzi

Point de départ : Les Îles de Lavezzi sur la route maritime entre la Corse et la Sardaigne, dans la réserve naturelle des Bouches de Bonifacio. Depuis Bonifacio et Porto-Vecchio, plusieurs bateaux font la navette quotidiennement.

Dénivelée : Peu importante.

Difficulté : Randonnée côtière et balnéaire courte et facile, pas d'ombre (emporter un parasol éventuellement !).

Halte et hébergement : Restaurants, hôtels et campings à Bonifacio.

Remarque importante : Les Îles Lavezzi se trouvent dans la réserve naturelle des Bouches de Bonifacio – prière de respecter le règlement (interdiction entre autres de quitter les chemins indiqués ou de cueillir des plantes).

Carte : ign 4255 OT (1:25 000).

Principale attraction de l'île : la plage sublime d'Achiarina.

Du débarcadère ouest sur **Lavezzu** où accostent les bateaux d'excursion, nous marchons à gauche le long de la Cala di u Ghiuncu en direction des plages (les chemins menant au phare sont malheureusement barrés car c'est une réserve naturelle). Après quelques minutes, nous arrivons au cimetière de Furcone où nous restons à droite avant d'arriver peu après à la **Cala di u Grecu** et au débarcadère est (petite plage de sable). Nous continuons en direction d'Achiarina et nous passons 5 mn plus tard à droite de la **bergerie**. A la bifurcation suivante, nous suivons le panneau « Cala di Chiesa » et le chemin oblique peu après à gauche (le chemin tout droit menant à la pointe nord est barré et envahi par la végétation). Quelques minutes plus tard, nous arrivons à une crique rocheuse paradisiaque avec deux petites plages de sable, la **Cala di Chiesa**.

Le chemin passe ensuite devant de magnifiques sculptures rocheuses jusqu'à la plus grande et plus belle plage de l'île en bordure de la **Cala di l'Achiarina**, où de nombreux bateaux jettent l'ancre également. A droite se trouvent le cimetière de l'Acharino et – sur une île rocheuse avancée – la Pyramide de la Sémillante qui rappelle le naufrage de la Sémillante le 14 février 1855 au cours duquel 750 personnes trouvèrent la mort. Dernière possibilité ici de faire une longue halte pour se baigner avant de prendre le chemin du retour jusqu'au débarcadère pour lequel il faut prévoir au moins une demi-heure : le chemin décrit un large coude jusqu'à la **bergerie**. Il est possible ici de retourner au débarcadère soit directement en continuant tout droit, soit en prenant à droite le chemin qui passe par d'autres baies de sable et pour finir par le cimetière de Furcone.

La magnifique baie rocheuse de la Cala di Chiesa.

3 h 00

Sommet panoramique dans la mer de rochers de la forêt de l'Ospédale

Il n'existe guère d'autres endroits en Corse d'où on a une telle vue panora-mique comme celle depuis ce sommet plutôt insignifiant. Vers l'est, nous voyons la côte de Porto-Vecchio, vers le nord, le barrage de l'Ospédale et le Massif de Bavella et à l'ouest le Golfe de Valinco.

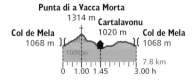

Punta di a Vacca Morta
1314 m Cartalavonu
1020 m
Col de Mela   Col de Mela
1068 m)[   ](1068 m

1000m
7.8 km
0   1.00 1.45   3.00 h

Localité dans la vallée : L'Ospédale, liaison journalière par bus avec Porto-Vecchio et Zonza (→itin. 51).
Point de départ : Col de Mela, 1068 m. A 1 km de L'Ospédale en direction de Zon-za, bifurcation en direction d'« Agnarone,

Cartalavonu, Tavogna ». 1ère et 2ème bifur-cation à gauche, 3ème et 4ème à droite, 5ème à gauche vers le Col de Mela. Là, la route se termine devant une maison particu-lière. Possibilités de stationnement.
Dénivelée : 400 bons m.
Difficulté : Randonnée de montagne fa-cile sur des sentiers « aventureux » (pro-blèmes d'orientation éventuels par mau-vaise visibilité).
Halte et hébergement : Restaurants à Cartalavonu, Agnarone et L'Ospédale ; hô-tels et campings à Zonza et Porto-Vecchio.
Carte : ign 4254 ET (1:25 000).

Devant le portail au **Col de Mela**, deux chemins balisés en orange se dé-tachent – celui de droite mène à Carbini, celui de gauche, que nous emprun-tons, à L'Ospédale en passant par Cartalavonu. Le chemin balisé en orange monte à droite le long de la route forestière et coupe bientôt une autre route forestière dans laquelle il débouche peu de temps après. Environ 150 m plus loin, un chemin distinct quitte sur la droite la route forestière (balisage orange maintenant) et se faufile après 30 m entre deux gros rochers. Des cairns nous indiquent maintenant le chemin à suivre pour la montée. Le sen-tier bien visible longe brièvement une clôture sur la crête avant de débou-cher au bout de 15 mn sur un **plateau** (1200 m) dégagé avec des rochers merveilleux et des pins courbés par le vent. D'ici, des cairns nous indiquent le chemin, légèrement à droite, plus tard à gauche, vers la **Punta di a Vacca Morta** (croix sommitale), déjà bien visible, par un petit plateau (passer ici à

D'immenses blocs granitiques et des pins courbés par le vent dominent le paysage séculaire près de la Punta di a Vacca Morta. Vue du sommet sur le lac de retenue d'Ospédale.

droite par la crête, à gauche le chemin de retour vers Cartalavonu se détache bientôt). Nous découvrons alors autour de nous de merveilleuses aires de repos et de jeux tandis que des rochers invitent à l'escalade.

Nous rebroussons chemin pendant 5 mn jusqu'au petit plateau et nous obliquons ici à droite dans le sentier bien visible et balisé de cairns. Il descend en pente très raide à travers une pinède jusqu'à un haut plateau herbeux (**Foce Alta**, 1171 m ; 15 mn) où il rencontre le Mare a Mare Sud balisé en orange. Nous le suivons sur la droite (à gauche vers le Col de Mela) jusqu'à **Cartalavonu** où nous tombons sur une route à côté du restaurant Le Refuge (20 bonnes mn). Nous l'empruntons à gauche et montons jusqu'à ce que, 15 mn plus tard, un sentier balisé en bleu et jaune se détache à gauche dans un virage serré sur la droite à côté d'un parking pour randonneurs (écriteau « Sentier des Tafoni »). Ce beau chemin monte et descend légèrement par une pinède parsemée de blocs de rochers et croise après quelques minutes un ruisselet. 25 m plus loin, nous montons à gauche à la bifurcation et nous laissons sur la droite après 5 mn une route forestière qui s'achève ici. Au bout de 5 mn, nous suivons le balisage bleu sur la droite et passons devant une source 50 m plus loin. Quelques minutes plus tard, nous tombons

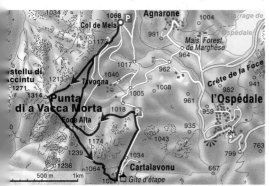

sur le Mare a Mare Sud balisé en orange (2 mn à gauche jusqu'au Foce Alta), qui nous ramène à droite jusqu'au Col de Mela (il débouche au bout de 10 mn sur une route forestière et rejoint après 2 mn le chemin de l'ascension).

133

Courte promenade vers la « Pisse du coq »

Ce n'est pas seulement pour voir la cascade spectaculaire de Piscia di Gallo – « pisse du coq »– que nous recommandons cette promenade, mais aussi pour le paysage unique du haut plateau de l'Ospédale avec ses nombreux cônes granitiques et ses chaos rocheux, ses magnifiques forêts et ses bizarroïdes formations rocheuses. Par contre, ce qui nous attriste, c'est que le chemin ne nécessite aucun balisage. Les déchets que laissent des centaines de touristes par jour (en saison) veillent à ce que nous restions sur le bon chemin.

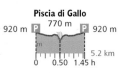

Piscia di Gallo

Localité dans la vallée : L'Ospédale, village panoramique situé au-dessus de la baie de Porto-Vecchio, au sud du barrage de l'Ospédale. Liaison journalière en bus avec Porto-Vecchio et Zonza (→itin. 51).

Point de départ : Parking payant (3 €) avec buvettes à 920 m ; à 3,5 km après le barrage du lac de retenue d'Ospédale.

Dénivelée : Env. 150 m.

Difficulté : Promenade facile sur un chemin bien balisé. Chaussures solides conseillées pour la descente glissante et abrupte vers la cascade.

Halte et hébergement : Restaurants à L'Ospédale, hôtels et campings à Zonza et Porto-Vecchio.

Idée : Il est conseillé d'entreprendre la promenade dans la matinée, car la cascade se trouve en plein soleil. De plus, on peut ainsi éviter quelque peu la cohue des touristes. Après de longues périodes de sécheresse, le ruisseau se transforme en ruisselet.

Carte : ign 4254 ET (1:25 000).

Au bord du chemin, le rocher « presque vacillant ».

Depuis le **parking**, un chemin balisé avec des écriteaux jaunes descend au ruisseau de l'Oso puis le longe. Il traverse un petit pont quelques minutes plus tard et rejoint un large chemin empierré. Quelques minutes plus tard, le chemin de randonnée balisé bifurque à gauche à travers le lit du cours d'eau. A présent, le chemin conduit à travers un magnifique et saisissant paysage de roche qui se mélange au vert vif des pins et du maquis. Au-dessous du chemin, la petite rivière de l'Oso que nous venons de franchir, creuse son chemin à travers un portail rocheux vers la mer qui s'étale déjà devant nos yeux. Et nous voilà déjà devant un imposant **rocher** (presque) **vacillant**. Ici, la descente est plus raide et nous croisons un énorme rocher avec des sortes d'abris ressemblant à des grottes (un paradis pour les enfants, mais prudence !) et qui est tout juste dépassé par les hauts pins. Nous apercevons déjà devant nous la **cascade** qui jaillit de la paroi verticale rocheuse. Les derniers mètres de descente se font par un sentier plus ardu et souvent assez glissant. Seuls les randonneurs habitués à l'escalade descendront jusqu'au bassin proprement dit. Le rocher penché offrant une belle vue et situé au-dessus de l'eau sale du bassin n'est pas non plus conseillé.

La Piscia di Gallo.

Un sommet panoramique facile à atteindre – et un diamant brut en prime

Le Monte Calva est un excellent sommet panoramique avec vue sur Bavella, Incudine, la Montagne de Cagna et le Golfe de Porto-Vecchio. La montée vers la Punta di u Diamante voisine, qui mérite son nom, est toutefois bien plus excitante et impressionnante en raison du paysage. Ce diamant totalement brut fait justement tout l'attrait de cet étrange sommet rocheux.

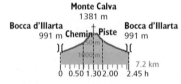

Localités dans la vallée : Zonza, centre de l'alpinisme sous le Col de Bavella, et L'Ospédale. Liaison journalière par bus avec Porto-Vecchio (→itin. 51).

Point de départ : Bocca d'Îllarta, 991 m, petit col entre L'Ospédale (10 km) et Zonza (11,5 km). Possibilités de stationnement peu après le col (en venant de L'Ospédale).

Dénivelée : 400 bons m.

Difficulté : Randonnée de montagne facile sur des chemins bien balisés.

Halte et hébergement : Restaurants à L'Ospédale, hôtels et campings à Zonza et Porto-Vecchio.

Conseil : Il est possible d'intégrer aussi dans la randonnée la proche Piscia di Gallo.

Carte : ign 4254 ET (1:25 000).

Le plateau rocheux est bientôt atteint. – En bas : Vue depuis le sommet principal sur le massif de Bavella et le Monte Incudine.

En venant de L'Ospédale, peu après le col de **Bocca d'Îllarta** (parkings), un sentier forestier se détache sur la droite. Au bout de 15 mn, nous apercevons déjà notre but de promenade, le sommet rocheux. Nous continuons sur la route principale. Après 45 mn au total – avec de belles vues déjà sur la côte est, le lac de l'Ospédale et la Punta di u Diamante – nous rencontrons les premiers rochers. Il faut être vigilant maintenant car bientôt (à un tournant vers la droite, env. 50 m après avoir contourné un grand rocher plissé), un sentier distinct marqué de cairns se détache à gauche. Il monte à droite en bordure de dalles et d'un couloir vers un magnifique **plateau rocheux**. Ce n'est pas grave si on rate la bifurcation du sentier, car 5 mn plus tard environ (également dans un tournant du chemin forestier vers la droite), un autre sentier encore plus confortable dévie vers la gauche (cairns) et rejoint sur le plateau notre chemin de montée. Nous contournons ensuite à gauche un premier sommet rocheux et montons par la crête vers le sommet à côté de l'antenne-relais. Un peu plus loin se dresse le sommet principal du **Monte Calva**, de 4 m plus élevé.

Après cette promenade, on peut se faire plaisir et entreprendre une petite excursion dans le pittoresque paysage rocheux tout autour de la **Punta di u Diamante**. Pour cela, il suffit de prendre la direction opposée au parking sur le Bocca d'Illarta. Un sentier bien visible et balisé de cairns s'étire diagonalement sur le versant vers le sommet. Seuls les grimpeurs chevronnés se lanceront à l'assaut du bloc sommital (II) en forme de cloche.

Récompense et effort sont nos compagnons permanents

Au cours de l'été 1990, des incendies de forêt dévastateurs ont lourdement frappé cette magnifique région forestière au sud du Col de Bavella. Cette randonnée reste toutefois superbe en raison de ses très romantiques paysages notamment sur la crête près de la Bocca di Fumicosa.

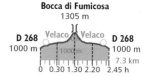

Localité dans la vallée : Zonza, 778 m. Liaison journalière en bus avec Porto-Vecchio (→itin. 51).
Point de départ : De la route Zonza – Col de Bavella (D 268), une route forestière barrée bifurque après 5 km vers la droite (3,7 km avant le col), 1000 m.
Dénivelée : 350 bons m.

Difficulté : Excursion solitaire pour les randonneurs épris d'aventure – l'ascension de la Bocca di Fumicosa se fait presque sans chemin et exige un certain sens de l'orientation.
Halte et hébergement : Restaurants, hôtels et camping à Zonza.
Carte : ign 4253 ET (1:25 000).

Sitôt après la **barrière**, nous montons tout droit à gauche par l'étroit chemin forestier, passons à un tournant à droite devant une citerne (10 mn), croisons 5 mn plus tard la large route forestière (50 m plus loin légèrement à gauche donc) et atteignons après une demi-heure le ruisseau bétonné de **Velaco** (porte, passage pour randonneur) que nous traversons en tournant immédiatement à droite. Du côté opposé, nous poursuivons notre chemin sur un sentier balisé en bleu, parfois un peu embroussaillé, qui traverse en montant

138

En haut : Punta Velaco (au centre) et Tour de Samulaghia (à droite) depuis le chemin.
En bas : la Bocca di Fumicosa est une magnifique aire de repos et un beau point de vue.

et descendant les pentes au pied des rochers. Environ une demi-heure plus tard, un petit **ruisseau** croise notre chemin. Des cairns indiquent distinctement la bifurcation ainsi que la suite du chemin à suivre pour la montée sur la rive droite du ruisseau. Nous poursuivons notre route légèrement sur la gauche (vers le nord-est, bien tenir compte des cairns !) et débouchons 15 mn plus tard dans un large **couloir** entouré de rochers où la forêt s'éclaircit. A présent, nous ne sommes plus très loin du col de **Bocca di Fumicosa** qui nous offre une belle vue sur le paysage rocheux des sommets au sud du Col de Bavella : au nord l'énorme Punta Velaco, derrière, à droite le Promontoire avec l'aiguille rocheuse du Campanile de Ste-Lucie, à droite du col, la Punta di Ferru et au sud de celle-ci la tour élancée de Samulaghia. – Dans la **descente**, attention à ne pas manquer le sentier balisé en bleu vers le ruisseau de Velaco.

Bastion de rochers avec tous les raffinements possibles

La Punta Velaco et le Promontoire sont les remparts centraux du massif sud de Bavella. Les deux sommets offrent des vues splendides sur la côte est entre Porto-Vecchio et Aléria ainsi que sur les tours rocheuses du massif nord et sur l'Incudine.

Localité dans la vallée : Zonza, 778 m.
Point de départ : Col de Bavella, 1218 m. Parkings au col. Liaison journalière en bus de Porto-Vecchio (→itin. 51).
Dénivelée : Vers la Punta Velaco 300 m, au total (avec Promontoire et Trou de la Bombe) 600 bons m.
Difficulté : Sentiers en général faciles mais bien balisés par endroits seulement, montée au sommet de la Punta Velaco exposée, escalade facile (I).
Halte et hébergement : Restaurants et auberge (gîte) au village de Bavella, hôtels et camping à Zonza.
Carte : ign 4253 ET (1:25 000).

Nous descendons d'abord la route vers le **village de Bavella**. Près de l'auberge, nous empruntons à droite le chemin forestier balisé en blanc-rouge. Après 5 bonnes mn, nous suivons un large chemin marqué en rouge qui se détache à droite (peu après, le GR 20 balisé en blanc-rouge quitte le chemin forestier sur la gauche). Il s'élève doucement à travers une pinède tapissée de fougères puis rejoint au bout de 10 mn un sentier balisé en rouge-orange avant de franchir aussitôt à gauche un petit ruisseau (le chemin balisé en orange se détache avant d'y arriver à droite) et accède 20 mn plus tard à une petite butte située à droite de l'étonnant rocher **Dame-Jeanne**, 1313 m. Le sentier balisé en rouge nous conduit après quelques petites montées et descentes sur une colline dégagée (10 mn) avec un beau panorama, déjà, sur l'impressionnant sommet rocheux de la Punta Velaco (le couloir menant de la gauche quasiment au sommet est bien visible) et plus à gauche sur le Trou de la Bombe. Nous descendons maintenant vers un croisement situé dans la croupe herbeuse du **Bocca di Velaco**,

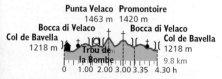

1285 m (10 mn). Le chemin principal, marqué en rouge, se dirige ici à gauche vers le **Trou de la Bombe** qui, vers la fin, est difficilement accessible (U Cumpuleddu, 15 mn).

De gauche à droite : le Trou de la Bombe, le Promontoire et la Punta Velaco.

Les randonneurs désireux de grimper vers la Punta Velaco suivront sur 25 m le chemin balisé en rouge puis prendront à droite le sentier marqué par des cairns qui monte doucement au-dessus du sentier balisé en rouge. Quelques minutes plus tard, un sentier balisé de cairns se détache à droite (vers le Promontoire on continue tout droit) et s'engage dans le **couloir** cité plus haut, entre d'immenses parois rocheuses. Après 30 mn de montée abrupte (à mi-chemin on passe par un portail rocheux), nous arrivons au bout du couloir. D'ici, nous escaladons (I) à droite pour accéder à l'autre côté de l'arête et nous poursuivons notre chemin, un peu exposé, jusqu'au proche sommet de la **Punta Velaco** (croix).

Pour monter au **Promontoire**, suivre le sentier signalé plus haut. Il court quelques minutes sur la gauche à travers la pente et monte juste avant le Trou de la Bombe à droite vers une brèche. Il suffit alors d'en descendre un peu, de remonter sur le côté opposé par le couloir vers une croupe puis vers le plateau rocheux du sommet.

141

Promenade en forêt sur les traces du GR 20

Le point de mire de cette belle promenade forestière, fatigante par moments, est la Punta Tafunata di i Paliri, une montagne parée d'un énorme trou dans son flanc, située au nord-ouest du Refuge de Paliri. Pour voir le trou dans la roche, il faut tenir jusqu'au refuge mais une fois au but, on est récompensé par un repas sympa.

Localité dans la vallée : Massif de Bavella Zonza, 778 m.
Point de départ : Col de Bavella, 1218 m. Parkings au col. Liaison journalière en bus de Porto-Vecchio (→itin. 51).
Dénivelée : 600 bons m.
Difficulté : Randonnée facile, bien que

pénible sur le GR 20 bien balisé.
Halte et hébergement : Refuge de Paliri (boissons et plats simples). Restaurants et auberge (gîte) au village de Bavella, hôtels ainsi que camping à Zonza.
Carte : ign 4253 ET (1:25 000).

Nous descendons la route du Col de Bavella jusqu'au **village de Bavella**. A droite de l'auberge dans le virage, nous prenons à droite le *GR 20* marqué en blanc-rouge qui suit d'abord un chemin forestier. Après 5 mn, le GR 20 se

Le Refuge de Paliri avec la Punta Tafunata di i Paliri – le trou du rocher est bien visible.

dirige à gauche et descend une pente boisée et escarpée très désagréable par temps pluvieux. 15 mn plus tard, il franchit un petit cours d'eau ; encore 15 mn et nous rencontrons au fond de la vallée une route forestière que nous suivons à droite. Nous franchissons le ruisseau de Volpajola et nous nous dirigeons peu après vers le sentier qui bifurque à droite (écriteau) et grimpe en serpentant vers **Foce Finosa**, 1206 m (écriteau, belles aires de repos). Nous descendons sur l'autre versant par un chemin escarpé et prenons à gauche par le versant après 15 mn. Après une imposante tour rocheuse, nous arrivons au **Refuge de Paliri**, merveilleusement situé.

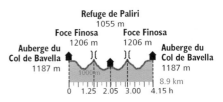

Promenade aventureuse de cascades dans un décor montagneux de rêve

Il s'agit probablement du parcours de « piscines » le plus beau et le plus aventureux de toute l'île. Nous devons sans cesse traverser à la nage des cuvettes remplies d'eau limpide, contourner des cascades en escaladant et faire le tour de gorges. En présence d'enfants, il n'est pas conseillé de monter plus haut que jusqu'à la 3ème ou 5ème cascade à cause des passages difficiles.

696 m

D 268   D 268
480 m   480 m

2.7 km
0 2.25 4.30 h

Localités dans la vallée : Solenzara et Zonza, 778 m.
Point de départ : Pont au-dessus du ruisseau de Polischellu, 480 m, au bord de la D 268 entre le Col de Bavella (9,5 km) et le Bocca di Larone (3,5 km). Possibilités de stationnement le long de la route ou sur le grand parking au sud du pont.
Dénivelée : 200 m.
Difficulté : Promenade où bains et escalades alternent en permanence. Sentier, la plupart du temps bien indiqué, aux points cruciaux marqué de cairns mais malgré tout, il est nécessaire de temps en temps de le chercher. S'équiper seulement d'un maillot de bain et de sandales bien ajustées (ne jamais marcher pieds nus !). Provisions et objets de valeur ne peuvent être emportés que dans des récipients étanches. Attention : entreprendre la promenade uniquement par temps clément et sec. En cas d'orage, le ruisseau peut se transformer en torrent impétueux – au

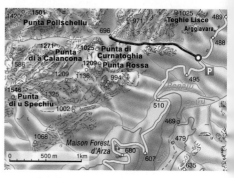

besoin, retourner au point de départ en empruntant des sentiers très au-dessus du ruisseau !
Halte et hébergement : Auberge au Col de Bavella, restaurants, hôtels et campings à Zonza et Solenzara.
Remarque : Les plus audacieux peuvent raccourcir considérablement la durée de la descente en sautant des cascades qui font jusqu'à 10 m de haut.
Carte : ign 4253 ET (1:25 000).

A gauche du **pont** au-dessus du ruisseau de Polischellu, un sentier nous conduit le long de la rive gauche en 10 mn à la **1ère cascade**. Cette cascade à deux terrasses peut être contournée par la gauche, mais il est beaucoup plus agréable de traverser le grand bassin à la nage, de grimper à gauche de la cascade jusqu'à la première terrasse, de changer de rive et de grimper ensuite sur la deuxième terrasse du rocher.

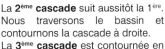

La **2ème cascade** suit aussitôt la **1ère**. Nous traversons le bassin et contournons la cascade à droite.

La **3ème cascade** est contournée en même temps.

Dans la descente vers la **4ème cascade**, nous devons déjà surmonter les premières difficultés, à savoir franchir une petite paroi rocheuse escarpée. Par contre, la cascade ne pose aucun problème. Nous traversons l'étroit bassin à la nage et nous continuons en empruntant le lit du ruisseau.

A gauche devant la **5ème cascade** s'élève un sentier par lequel on contourne celle-ci. A nouveau, la descente vers le ruisseau est difficile d'autant plus que les points d'appui pour les mains et les pieds sont très éloignés les uns des autres. Seuls des grimpeurs chevronnés devraient s'y aventurer. Le

6

7

8

9

11

mieux c'est d'assurer les enfants avec une courte corde.

A la **6ème cascade**, il s'agit d'abord de traverser le bassin à la nage qui est tout en longueur et sinueux puis de grimper à gauche de la cascade sur le rocher. Il est cependant plus facile de contourner la cascade à gauche, au-dessus de la gorge.

La **7ème cascade** ne présente aucun obstacle et peut être facilement franchie.

Il est plus facile de contourner la **8ème cascade** à gauche au-dessus de la vallée (montée courte et par endroits escarpée).

La **9ème cascade** est facilement contournable par la gauche.

Devant la **10ème cascade**, nous traversons le bassin et montons à droite le long de la cascade.

50 m environ avant la **11ème cascade**, entourée d'infranchissables parois rocheuses, nous quittons la vallée en montant à droite (passage escarpé, partiellement escalade facile) et contournons la cascade.

En même temps, nous dépassons la **12ème cascade**.

Pour contourner les **13ème** et **14ème cascades**, nous gravissons à gauche la pente escarpée. Le reste est un jeu d'enfant, hormis la descente abrupte.

La 15ème cascade ainsi que la 16ème peuvent être facilement contournées.

La 17ème cascade, d'environ 25 m de hauteur, est souvent à sec en plein été.

Nous pouvons monter à droite vers le point culminant de la cascade, en passant par un rocherpercé, et jeter un coup d'œil sur les cascades à nos pieds.

A présent, la vallée s'aplanit notablement. Une bonne douzaine d'autres bassins se suivent certes mais ceux-ci sont trop petits et trop peu profonds pour pouvoir y nager.

Randonnée difficile d'une demi-journée vers les célèbres toboggans

Les cascades de Purcaraccia sont assurément la destination la plus connue des canyonistes en Corse – les toboggans et les cascades comptent parmi les plus beaux de l'île. L'affluence est donc grande dans les cascades, qu'il s'agisse d'amateurs de canyoning ou de randonneurs, tous désireux de se divertir dans les cuvettes.

Localité dans la vallée : Solenzara, petite station balnéaire sur la côte orientale.
Point de départ : Bocca di Larone, 608 m, col sur la D 268 entre Solenzara (17 km) et le Col de Bavella (13 km).
Dénivelée : 100 bons m.
Difficulté : Randonnée généralement paisible, mais difficile, avec quelques passages d'escalade facile.
Halte et hébergement : Auberge au Col de Bavella, restaurants, hôtels et campings à Solenzara.
Carte : ign 4253 ET (1:25 000).

Depuis le col de la **Bocca di Larone**, nous suivons pendant 300 m la route en direction du Col de Bavella jusqu'au premier virage en épingle à cheveux (stationnement possible ici aussi) – l'itinéraire de randonnée bifurque à

D'impressionnants créneaux granitiques se dressent au-dessus de la vallée.

droite et s'étire en de légères descentes et montées, à travers le versant, généralement à l'ombre du maquis et de pinèdes. Plus tard, le sentier longe le cours d'eau de Purcaraccia vers la vallée avec vue sur les extraordinaires créneaux granitiques sur le versant opposé de la vallée, dont la Punta di Malanda. Après une demi-heure, le sentier se divise – on pourrait bien descendre ici à gauche jusqu'à une jolie cuvette pour s'y baigner, mais nous

Les Cascades de Purcaraccia sont très appréciées des canyonistes.

Le chemin s'arrête ici – à la dernière chute d'eau des Cascades de Purcaraccia.

restons sur le sentier droit devant qui traverse le versant, même aux bifurcations suivantes, et nous arrivons ainsi après 10 mn directement à côté d'une paroi rocheuse de 20 m de haut au ruisseau de **Purcaraccia**. L'itinéraire de randonnée passe de l'autre côté de la vallée, longe de belles cuvettes et un surplomb rocheux avant d'arriver aux premières cascades. Après 15 mn, un petit sentier devant une falaise bifurque à droite et conduit en 5 mn au niveau supérieur de la plus grande des **Cascades de Purcaraccia**. D'ici, on peut continuer encore quelques minutes sur la berge droite jusqu'à ce que le sentier s'achève avant une dernière grande cascade (photo en haut).

Cascades de Purcaraccia
675 m

Bocca di Larone
608 m

Bocca di Larone
608 m

3.9 km

0   1.15   2.25 h

Une randonnée aquatique ponctuée d'exercices de natation

Le ravin de Fiumicelli propose une randonnée idéale pour tous ceux qui n'ont encore jamais fait de canyoning. La vallée typique de Bavella offre des paysages charmants mais aussi dramatiques, notamment au bout, dans la gorge. On patauge tranquillement dans le ruisseau, en alternance avec quelques mouvements de natation dans des vasques remplies d'une eau claire comme le cristal, on doit même de temps en temps faire un petit plongeon dans les cascades. Les bancs de sable ci-et-là invitent également à la baignade. Cela explique d'ailleurs la popularité de cette randonnée même auprès des baigneurs qui n'ont que quelques pas à faire dans la vallée et qui démarrent généralement du pont de Fiumicelli.

Localité dans la vallée : Solenzara, petite station balnéaire sur la côte orientale.
Point de départ : Rocchiu Pinzutu, 337 m, grande maison en ruines avec l'inscription « Corsica Canyon » en bordure de la D 268 entre Solenzara et le Col de Bavella, parking (15 km depuis Solenzara ou 2 km avant la Bocca di Larone).

Point d'arrivée : Pont de Fiumicelli, 158 m, au km 12 de la D 268 (3 km/45 mn par la route pour retourner au point de départ ; alternative : rentrer en autostop ou garer ici un deuxième véhicule avant la randonnée).

Dénivelée : 200 m dans la descente.
Difficulté : Parcours de canyoning facile avec quelques parties de saut et de natation, qui convient également aux familles avec des enfants, mais mieux vaut être assez en forme et agile. Côté équipement, un maillot de bain et des sandales bien ajustées (surtout pas pieds nus !) suffisent. Provisions et objets de valeur ne peuvent être emportés que dans des conteneurs hermétiques. Attention : ne faire cette randonnée que si le temps est stable et sec – le ruisseau peut se transformer en un torrent furieux après un orage !
Halte et hébergement : Restaurants, hôtels et campings à Solenzara.
Idée : Pour avoir un petit avant-goût de cette randonnée, cheminer vers l'amont depuis le pont de Fiumicelli.
Carte : ign 4253 ET (1:25 000).

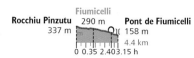

Fiumicelli

Rocchiu Pinzutu	290 m	Pont de Fiumicelli
337 m		158 m
		4.4 km
0 0.35 2.40 3.15 h		

De nombreux bassins de baignade, dont certains sont pourvus d'accueillantes « plages sablonneuses », nous attendent dans la randonnée du Fiumicelli.

L'itinéraire de randonnée qui commence à gauche du bâtiment **Rocchiu Pinzutu** en contrebas de la route, s'étire à un niveau constant à travers le maquis et franchit après tout juste une demi-heure le cours d'eau du Laron. On arrive 5 mn plus tard au **Fiumicelli** près d'un banc de sable.

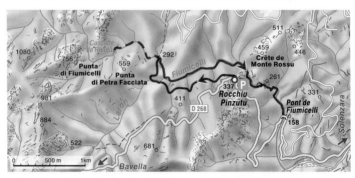

C'est ici que commence l'aventureuse randonnée dans les cascades. Les randonneurs en très bonne condition physique peuvent faire un détour vers l'amont par la spectaculaire Cascade de Rivetu haute d'environ 80 m (1 h env. l'aller) – mais nous suivons le ruisseau vers le fond de la vallée par le « chemin direct », à savoir à travers le cours d'eau. Cette solution est généralement la plus aisée mais quelques difficultés peuvent surgir de temps à autre. Il faut par exemple franchir bientôt une première petite chute d'eau puis, après une demi-heure à peine, une autre, plus grande, que nous pouvons contourner en escaladant. Une heure plus tard à peine, impossible de faire autrement (difficile de faire un détour ici) : nous devons traverser un profond bassin en nageant – mais c'est justement ce qui fait l'attrait singulier de cette randonnée ! On s'approche peu à peu d'un canyon dans lequel il faut contourner une cascade : pour ce faire, descendre à gauche en crapahutant, traverser la vasque à la nage, puis passer par le rocher percé sur l'autre rive. Les cascades suivantes peuvent également être contournées par la gauche. Plus tard, le canyon s'élargit un peu, mais il faut encore franchir un certain nombre de cuvettes et de cascades avant d'arriver au **pont de Fiumicelli**.

Il faut passer par là – de magnifiques cuvettes encadrées de rochers pour les canyonistes débutants.

Ascension fascinante à travers un univers sauvage de rochers

Au Col de l'Oiseau, la brèche devant la Tour I, nous offre l'une des ascensions les plus pittoresques de l'île ainsi que quelques escalades faciles et divertissantes au milieu d'un superbe paysage rocheux.

Localité dans la vallée : Zonza, 778 m.
Point de départ : Col de Bavella,

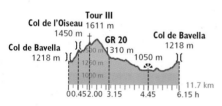

1218 m. Parkings au col. Liaison journalière en bus de Porto-Vecchio (Porto-Vecchio 7 h 00, L'Ospédale 7 h 20, Zonza 8.05, retour à 18 h 05).
Dénivelée : 850 bons m.
Difficulté : Randonnée fatigante avec quelques escalades, sentier bien jalonné.
Halte et hébergement : Restaurants et auberge au village de Bavella, hôtels et camping à Zonza.
Carte : ign 4253 ET (1:25 000).

Au **Col de Bavella**, nous empruntons le GR 20, balisé en blanc-rouge, en passant devant la statue de Notre-Dame-des-Neiges. 5 mn plus tard, à un embranchement signalé du chemin, nous suivons la variante alpine du

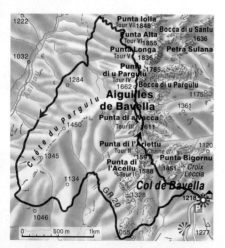

GR 20, indiquée par un double trait jaune, c'est une rude ascension ! En 45 mn, nous accédons au **Col de l'Oiseau**, (Bocca di u Truvone), 1450 m, en traversant un décor grandiose de pins tordus par le vent, d'étranges petites tours rocheuses et champs d'éboulis. Une fois là, nous découvrons une belle vue sur les aiguilles et le massif sud de Bavella. Au-delà de la brèche, le sentier descend sur la gauche, au pied de la paroi rocheuse de la **Tour I** (Punta di l'Acellu). L'orientation étant ensuite un peu difficile sur le terrain, suivre scrupuleusement le balisage jaune. Le sentier légèrement en

Les Aiguilles de Bavella vues du Col de Bavella.

pente monte le long du pied des rochers et continue ensuite transversalement vers le pied de la muraille rocheuse de la **Tour II** (Punta di l'Ariettu ; ne pas monter vers la brèche entre les deux tours). En même temps, nous devons descendre par une grande dalle gênante, fortement inclinée, qui cependant est assurée par des chaînes en acier. Ensuite, nous montons vers la **brèche** entre la Tour II et la Tour III, d'où nous avons une vue remarquable sur la côte orientale près de Solenzara. Nous contournons à droite l'amas rocheux de la Tour III par le sentier balisé en jaune, jusqu'à ce que nous arrivions sur la croupe au nord de l'aiguille (par conséquent entre la Tour III et la Tour IV, à 1 h du Col de l'Oiseau). D'ici, nous pouvons grimper en 15 mn à peine (cairns, escalade facile, I+) vers le point culminant de la **Tour III** (Punta di a Vacca ; tas de pierres), puis profiter de l'atmosphère unique au milieu de ce paysage sauvage et montagneux.

Nous conseillons aux randonneurs encore en forme de suivre l'itinéraire suivant pour le retour : de la croupe au nord de la Tour III poursuivre l'ascension au pied de l'impressionnante Tour IV (Punta di u Pargulu, 15 mn). Descendre ensuite à gauche par le sentier balisé en jaune vers le *GR 20* (45 mn) jalonné en blanc-rouge et retourner à gauche sur celui-ci par une descente interminable sur des pentes vers le **Col de Bavella** (3 h).

Les tours II (à gauche), III (au centre) et IV (sur la droite) sont déjà visibles depuis le Col de l'Oiseau.

Etonnant panorama du sommet le plus méridional de l'île à 2000 m

Le Monte Incudine est une montagne panoramique fantastique avec vue sur les baies d'Ajaccio, de Valinco et sur la côte est. Par beau temps, on peut même deviner le Monte San Petrone.

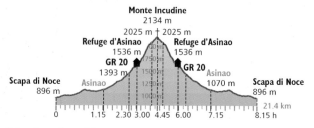

Localités dans la vallée : Quenza, 813 m, village de montagne au sud-ouest du Massif de Bavella. Zonza, 778 m, au pied du Col de Bavella.
Point de départ : A env. 4 km de Zonza, en direction de Quenza, puis à droite par la D 520 en direction de Prugna jusqu'aux dernières maisons de Scapa di Noce (3 km). Stationnement tout en haut de la route, 896 m (antenne ; bifurcation de la route forestière vers le Refuge d'Asinao, écriteau).
Dénivelée : 1300 bons m.

Difficulté : Randonnée de montagne facile sur une route forestière et des sentiers bien balisés. Bonne condition physique nécessaire.
Halte et hébergement : Boissons/plats simples et possibilité de passer la nuit (gîte) au Refuge d'Asinao ; restaurants, hôtels et campings à Quenza et Zonza.
Variante : Une autre possibilité d'accéder au Monte Incudine est de partir du Col de Bavella ou du Plateau du Coscione en empruntant le GR 20.
Carte : ign 4253 ET (1:25 000).

La randonnée débute par une route empierrée avec vue sur les tours de Bavella.

Nous quittons la route et nous continuons à droite par une **route empierrée** vers la vallée et le Massif de Bavella en passant devant quelques maisons. Au début, la route forestière est balisée en jaune et se faufile à travers une pinède. Après une bonne heure, nous sommes rejoints par une route forestière venant de droite – on continue tout droit ici. 10 mn après, nous franchissons le ruisseau d'Asinao (1065 m) et atteignons près d'un petit **barrage** la fin de la route empierrée.

Avant la digue, nous changeons de rive et suivons à gauche le ruisseau par un sentier balisé en jaune. Déjà à notre gauche, nous pouvons apercevoir l'Incudine tandis qu'à main droite, les aiguilles de Bavella nous tiennent compagnie. Après 2 h 30 au total – les pins ont depuis longtemps fait place aux genêts – nous trouvons le

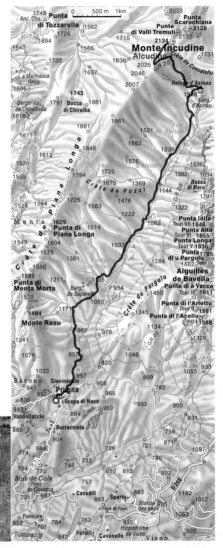

Le refuge d'Asinao. – Photo en bas : Le sommet du Monte Incudine est tout près.

GR 20 balisé en blanc-rouge (écriteaux) qui nous amène vers la gauche en une demi-heure au **Refuge d'Asinao**, 1536 m. Nous continuons sur le GR 20 (écriteau « Alcudina »), qui monte en passant par endroits sur des éboulis, des dalles de roche et à travers des taillis d'aulnes en direction nord-ouest, puis en direction ouest vers la **crête sud-ouest** (1 h 30 à partir du refuge). De l'autre côté de la crête, le GR 20 oblique à gauche, mais nous montons à droite le long de la crête pour rejoindre en 20 bonnes mn le sommet du **Monte Incudine**.

Sommet rocheux panoramique avec un petit site d'escalade

Cette montagne au-dessus de la côte orientale offre au randonneur un point de vue d'accès facile avec une vue grandiose sur les sommets rocheux tout autour du Col de Bavella ainsi que sur la côte orientale, et au grimpeur quelques belles escalades assurées par des crochets dans la paroi sud d'une hauteur de 20 m. Après la randonnée, il reste assez de temps pour se baigner dans le ruisseau de Solenzara (env. 6 km à l'ouest de Solenzara) ou dans la mer.

Monte Santu

Penna-Belvédère 599 m Penna-Belvédère
400 m   ✝   400 m

3.9 km
0 0.50 1.30 h

Localité dans la vallée : Solenzara.
Point de départ : Belvédère la Penna, 400 m, au village de Sari-Solenzara, à 7,5 km au sud-ouest de Solenzara.
Dénivelée : 200 m.
Difficulté : Promenade facile sur un sentier bien distinct.
Halte et hébergement : Restaurants, hôtels et campings à Solenzara.
Carte : ign 4253 ET (1:25 000).

Depuis le **Belvédère la Penna** à Sari-Solenzara (panneaux, belle vue sur la côte est), nous retournons en arrière (50 m) sur la route et nous nous engageons à gauche dans une route qui monte en serpentant (vieux four à droite 150 m plus loin). Après 10 mn, la piste longe une **citerne** puis, 20 m plus loin, le chemin de randonnée balisé en jaune bifurque à gauche. Il monte sur la croupe couverte de maquis. Après une demi-heure à peine, le sentier se divise (écriteau). Par le sentier de droite nous accédons en 5 mn env. au sommet du **Monte Santu** en traversant un versant quelque peu rocheux et herbeux, envahi de maquis. Le sentier de gauche mène à une grotte puis à la paroi sud. Juste après le sommet, on peut également descendre au pied du rocher par une petite via ferrata (écriteau « GR 20 » : réservée aux spécialistes de ce sport !) et retourner à l'embranchement en prenant à gauche à la bifurcation 25 m plus loin.

Promenade agréable sur la plage vers une lagune – idéale pieds nus

Ceux qui aiment les randonnées de plage seront pleinement comblés notamment sur la côte est de la Corse – quasiment tout le littoral entre Bastia et Solenzara est une plage continue, interrompue seulement par quelques cours d'eau se jetant dans la mer, et donc idéale pour de longues promenades. La plage au nord de Ghisonaccia est particulièrement belle. On laisse ici bien vite derrière soi la civilisation et on découvre une plage très solitaire mais superbe avec, en prime, l'Etang d'Urbino, une lagune idyllique. Cette randonnée se fait pieds nus – à l'aller sur la plage, mais aussi au retour sur des sentiers et des pistes en général sablonneux et glaiseux qu'il est très agréable de fouler à condition d'avoir la plante des pieds un peu dure (emporter toutefois des chaussures !).

Point de départ : Plage de Ghisonaccia, au bout de la D 144 (à 4,5 km du rond-point à la lisière sud, panneaux). Ceux qui souhaitent raccourcir la randonnée d'une bonne heure obliqueront 200 m avant la plage à gauche dans la D 444 – la route débouche après 200 m sur une piste parfois très embroussaillée et se divise au bout de 1 km près d'un parking avec des pins. Continuer ici à gauche tout droit pendant 3 km, prendre aux bifurcations toujours à droite (piste) et suivre l'écriteau ondulé jusqu'à un parking/point de rebroussement à l'ombre de pins derrière la plage.

Dénivelée : Peu importante.

Difficulté : Promenade de plage facile.

Halte et hébergement : A Ghisonaccia.

Idée : Excursion à la Ferme d'Urbino, restaurant flottant sur une presqu'île qui s'enfonce loin dans la lagune. On peut déguster ici des huîtres et des moules toutes fraîches qui sont élevées dans la lagune (6 km environ depuis Ghisonaccia sur la N 198 vers le nord jusqu'à la bifurcation indiquée, d'ici, il reste env. 2 km jusqu'au restaurant).

Carte : ign 4352 OT (1:25 000).

Belle ambiance au Pozzo Sale, une crique de l'Etang d'Urbino.

Nous suivons la **plage** vers le nord et laissons bientôt derrière nous les dernières maisons et autres infrastructures de plage. La belle plage de sable est pour une grande partie encore intacte, même si des quads viennent parfois troubler un peu cette idylle. Derrière la plage, des pinèdes et des taillis protégés s'étendent. Au bout d'une heure environ, nous arrivons à un parking (derrière la plage) puis, 15 bonnes mn plus tard, à l'**Etang d'Urbino** (Pozzo Sale). Un sentier se détache à gauche le long de la lagune bordée de roseaux (chemin du retour), mais nous continuons d'abord à suivre la plage. Nous sommes maintenant sur le cordon littoral, mais nous ne retrouvons la lagune qu'au bout d'un quart d'heure. 10 mn plus tard, la randonnée de plage s'achève devant un canal large de 10 bons m par lequel la mer pénètre dans la lagune. Nous retournons au début de la lagune (25 mn) et prenons ici à droite un chemin carrossable dont se détache immédiatement à droite un chemin plus étroit. Il se rapproche de la lagune, mais s'en éloigne à nouveau. A la bifurcation après 5 mn, nous continuons à droite tout comme 5 mn plus tard. Au bout d'environ 10 mn, un chemin venant de gauche nous rejoint (nous continuerons par celui-ci ultérieurement) et nous prenons peu après à droite à la bifurcation. 5 mn plus tard, le chemin décrit un virage dans lequel un sentier se détache à droite vers un **pin** isolé depuis lequel nous avons une vie grandiose sur la lagune jusqu'au cordon littoral. Quelques minutes plus tard, nous arrivons à nouveau au croisement et nous continuons tout droit (3 m plus loin sentier à droite vers la berge de la lagune, magnifique vue sur la presqu'île avec le restaurant). Au bout de 5 mn, nous ignorons un chemin qui se détache à gauche et nous arrivons 5 mn plus tard à une barrière sur un chemin carrossable que nous suivons à droite (vue immédiatement sur le bras de la lagune de **Pozzo Nero**). Après 15 mn, le chemin carrossable rejoint une piste venant de gauche (20 mn à gauche jusqu'au parking de la plage) puis, aux bifurcations qui viennent, nous continuons toujours tout droit pour rejoindre après 50 mn notre point de départ.

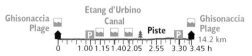

Le centre de l'île

Fiumorbu – Venachese – Cortenais – Boziu – Niolu – Ascotal

Au cœur de l'île, nous trouvons le paradis naturel de la Corse dans toute sa variété : des lacs étincelants, des torrents impétueux, de vastes forêts, des vallées endormies et surtout des sommets grandioses, buts de randonnées au-delà de la démarcation des 2000 m. Le tout est un paradis pour chaque randonneur et alpiniste. Corte est la localité la plus importante de cette région située entre le Monte Padru au nord et le Monte Renoso au sud.

La Vallée du **Fium'Orbu** est l'une des plus paisibles vallées de montagne. Surtout autour du *Col de Verde*, 1289 m, couvert de profondes pinèdes et de forêts à essences diverses, les randonnées sont belles. La plus appréciée dans la région, est l'ascension du *Monte Renoso*, 2352 m, la montagne des 2000 m la plus accessible de l'île. Au nord de Ghisoni s'élève la *Punta Muro*, 1565 m, qui offre une vue splendide sur les monts d'Oro, Rotondo et Renoso (45 mn à partir du Col de Sorba, 1311 m).

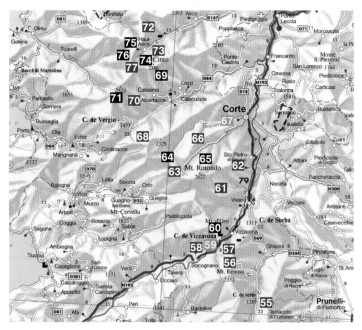

Le Pic Lombarduccio depuis la Bergerie de Grottelle (Vallée de la Restonica).
En bas : La Cascade du Voile de la Mariée près de Bocognano.

De l'autre côté du Col de Sorba se trouve la **Vallée du Vecchio** avec les localités de *Vizzavona*, *Tattone*, *Vivario* et *Venaco*. Les vastes pinèdes et forêts à essences feuillues de la région invitent à d'agréables promenades. Presque tous les villages sont reliés par des chemins de randonnée entretenus. En dehors de ces promenades en forêt, on peut conseiller une randonnée en montagne sur le GR 20 vers la *Bocca Palmente*, 1657 m, et plus loin le long de la crête, vers la *Punta dell'Oriente*, 2112 m (4 h 30 à partir de Vizzavona) ainsi qu'un petit détour par les exceptionnels rochers du *Massif de Migliarello*. Par contre le *Monte Cardo*, 2453 m, avec une montée escarpée de 5 h (à partir de Santo-Pietro-di-Venaco) est réservé aux randonneurs expérimentés.

A Corte nous attendent deux des vallées les plus renommées de l'île : la **Vallée de la Restonica** et la **Vallée du Tavignano** dont les voitures sont bannies. Les merveilleuses pinèdes, le ruisseau enjoué et cristallin et l'extraordinaire décor des montagnes donnent un attrait particulier à la Vallée de la Restonica. Cette vallée enchanteresse située entre Corte et les *lacs de Melo* et de *Capitello* est aussi attrayante que sauvage. On peut la considérer sans exagération comme la plus belle vallée de montagne de l'île. Il est préférable de partir déjà le matin en voiture pour la Vallée de la Restonica sinon l'excursion se transformera rapidement en cauchemar, car la circulation est parfois chaotique sur la route étroite. En aucun cas les randonneurs expérimentés ne devraient oublier l'excursion de parade sur le *Monte Rotondo*, second sommet de l'île.

La pittoresque petite ville de Corte est le chef-lieu de la région.

Le **Niolu** est le vrai cœur de l'île. Tout autour du *lac artificiel de Calacuccia*, nous découvrons la Corse sous son aspect le plus primitif avec de petits villages sans prétentions entourés de vastes pâturages, de pinèdes et de quelques sommets se dressant vers le ciel : Cinto, Paglia Orba et Tafunatu. A l'ouest en amont du *Golo*, la vallée de haute montagne est fermée par le *Col de Verghio*. La gorge sauvage de *Santa-Regina* délimite à l'est ce paysage souvent appelé le « Toit de la Corse ». Le Niolu est un pays de bergers traditionnel où cochons, vaches et chevaux paissent en toute liberté ; un paysage qui invite à de longues promenades. Outre les randonnées présentées, il est conseillé d'emprunter le sentier des bergers entre le Lac de Calacuccia et le *Bocca à l'Arinella*, 1592 m, qui offre des vues époustouflantes sur le lac, le Niolu et le Massif du Cinto.

Enfin, la **Vallée de l'Asco** et du **Stranciacone** est la vallée la plus alpine et le centre de l'alpinisme de l'île. Déjà le fond de la vallée, près de *Haut-Asco*, avec l'extraordinaire double sommet du *Capu Larghia* vaut à lui seul la visite de cette vallée sauvage. Ne pas oublier le *Monte Cinto* dont l'ascension est l'un des plus grands challenges alpins de l'île. En dehors des randonnées décrites, nous conseillons une excursion vers la *Vallée de Pinara* (du vieux pont génois en contrebas de la lisière supérieure du village d'Asco vers la Bergerie de Pinara, 937 m, 3 h aller).

Randonnée panoramique au-dessus du Col de Verde

Le Col de Verde est l'une des régions de randonnée les plus paisibles et en même temps les plus belles de Corse. Des deux côtés du col, ce ne sont que magnifiques forêts de hêtres et de pins et sommets panoramiques culminant à 2000 m. La randonnée sur le GR 20 jusqu'à l'arête des statues et son rudimentaire Refuge Prati est très belle et divertissante. Les randonneurs en bonne condition physique feront également le détour par la Punta della Cappella – avec un court passage aventureux d'escalade.

Localités dans la vallée : Ghisoni, 635 m, et Zicavo, 730 m.
Point de départ : Col de Verde, 1289 m.
Dénivelée : 1000 m.
Difficulté : Randonnée facile, mais fatigante sur un chemin souvent escarpé. L'ascension jusqu'au sommet de la Punta della Cappella comporte un passage où il faut faire un peu d'escalade.
Halte et hébergement : Snack-bar au Col de Verde, boissons, fromage et charcuterie au Refuge de Prati (simple gîte). Hôtels à Ghisoni et Zicavo.
Carte : ign 4252 OT (1:25 000).

Au **Col de Verde**, le *GR 20* balisé en blanc-rouge croise la grand-route – nous suivons le célèbre sentier de grande randonnée vers l'est qui emprunte un chemin forestier et monte tranquillement à travers une jolie forêt de hêtres et de pins. Après 5 mn, il croise une route forestière. 5 mn plus tard, le GR 20 tourne à gauche dans un sentier qu'il quitte quelques minutes plus tard à droite par un autre sentier. Il croise bientôt à nou-

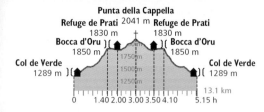

Punta della Cappella
Refuge de Prati 2041 m Refuge de Prati
1830 m   1830 m
Bocca d'Oru)(   )(Bocca d'Oru
1850 m   1850 m
Col de Verde   Col de Verde
1289 m)(   )(1289 m
1750m
1500m
1250m
13.1 km
0   1.40 2.00 3.00 3.50 4.10   5.15 h

veau au bout de 5 mn un chemin forestier. La forêt s'éclaircit un peu, cédant la place aux genêts et aux genévriers nains de plus en plus nombreux en bordure de chemin. Après 30 bonnes mn de marche, nous arrivons à une croupe depuis laquelle nous avons une belle vue sur l'arête des statues. Le chemin descend ensuite à gauche dans une **combe** qu'il traverse sur la droite (possibilité à gauche de partir à la découverte des grandioses formations et statues rocheuses sur l'arête).

Après quelques minutes, le chemin sur le versant, peu pentu, franchit un premier cours d'eau puis un deuxième peu après. Il se redresse ensuite à nouveau sensiblement à travers une hêtraie. Après 20 mn environ, nous arrivons au bout de ce passage escarpé. La forêt recule à nouveau et nous voyons maintenant déjà devant nous la crête principale, à droite la Vallée de

Découverte après une bonne heure de la crête principale avec le Bocca d'Oru.

Le chemin de crête panoramique vers la Punta della Capella coiffée d'une croix.

Taravo. Le GR 20 monte ensuite à travers le versant, pour finir en ligne droite jusqu'au **Bocca d'Oru**, 1850 m, sur la crête principale (35 mn) – d'ici, nous avons une vue grandiose sur le Monte Renoso, le Monte d'Oro et le Monte Rotondo, tous des sommets voisins culminant à 2000 m, mais surtout sur la côte est. Le chemin s'étire maintenant à droite à peu près à la même hauteur sur le côté gauche de la crête et nous apercevons déjà devant nous la Punta della Cappella. Au bout de 10 mn, le chemin s'abaisse tranquillement le long d'un petit cours d'eau jusqu'au pittoresque **Refuge de Prati**, 1830 m, où nous pouvons casser la croûte. Quelques chevaux et vaches paissent sur les prairies et les taillis d'aulnes aux alentours du refuge.

10 mn après le refuge, le GR 20 se redresse fortement et grimpe par l'arête jusqu'à une petite éminence. Après une courte remontée avec quelques passages rocheux escarpés voire exposés, le chemin grimpe en pente raide au pied de la Punta della Cappella et contourne le sommet à gauche sur le versant. Après environ 2 mn, un sentier balisé avec des cairns bifurque derrière le sommet vers la croix sommitale de la **Punta della Cappella** – une belle montée, bien qu'aventureuse avec un peu d'escalade (I) sur des amas de rochers (10 mn). Le spectacle depuis le sommet est unique – au sud le Monte Incudine, au nord les autres sommets de 2000 m, la côte est, par temps clair aussi la côte ouest et à nos pieds la Vallée de Taravo.

Lac de Bastani, 2089 m, et Monte Renoso, 2352 m

Une montagne de 2000 m sans difficultés

Le sommet du Monte Renoso est celui des « six grands » – Monte Cinto, Monte Rotondo, Paglia Orba, Monte Padru, Monte d'Oro et Monte Renoso – qui est de loin le plus accessible. On peut recommander cette randonnée pour la beauté du site autour du Lac de Bastani ainsi que pour la vue panoramique sur le sud de la Corse et sur les monts d'Oro et Rotondo.

Point de départ : Gîte « U Renosu », 1670 m, à la station de ski de Capannelle : de Ghisoni, rouler 6,5 km en direction du Col de Verde, tourner à droite vers la station de ski (11 km), peu avant celle-ci prendre à droite la voie carrossable vers le gîte.
Dénivelée : 750 m.
Difficulté : Randonnée facile, mais un peu pénible au début sur un sentier bien balisé.
Halte et hébergement : Gîte d'étape U Fugone près de la station de ski, hôtel à

Ghisoni.
Variantes : Possibilité de commencer la randonnée au gîte d'étape (20 mn de plus). Circuit Renoso – Col de Pruno – Bergeries des Pozzi – Plateau de Gialgone (à partir d'ici GR 20) – parking (au total 9h).
Carte : ign 4252 OT (1:25 000).

Plateau herbeux idyllique à moitié chemin vers le Lac de Bastani.

Le Lac de Bastani avec le Monte Renoso.

Depuis le **parking** au bout de la route, nous mettons le cap sur le sud, par le gîte U Renosu, vers le chemin empierré supérieur. Une fois au bout, un sentier balisé de cairns se détache sur la droite et s'élève sur la croupe pour rejoindre, après 45 mn au total, un petit **plateau herbeux** (1893 m) irrigué par le ruisseau de Pizzolo. Nous traversons le pré en laissant à main droite un joli bassin gazonneux traversé de petits cours d'eau (belles aires de repos) et nous grimpons à gauche tranquillement sur une crête peu pentue. Bientôt, nous apercevons devant nous l'arête qui monte jusqu'au sommet. Nous traversons une autre vallée d'altitude vers la gauche (en continuant tout droit à travers la vallée, on peut grimper directement jusqu'à l'arête du Renoso) et après 1 h 30 de marche, nous nous trouvons devant le **Lac de Bastani**, 2089 m, caché dans une cuvette.

Nous continuons maintenant à gravir la crête sur la droite et prenons, avant la combe suivante, à droite pour grimper à l'arête (25 mn, retenir le chemin pour la descente en cas de brouillard). L'arête, pareille à un vaste désert d'éboulis, monte jusqu'au sommet du **Monte Renoso** (30 mn). Le point culminant est indiqué par une croix en métal.

Ascension panoramique vers le pilier sud du col de Vizzavona

La randonnée jusqu'à la Punta di l'Oriente est la randonnée de tous les superlatifs. Elle traverse une hêtraie ensorcelée jusqu'à une bergerie derrière laquelle une ascension sur une crête montagneuse dénudée offre de grandioses panoramas sur le Monte d'Oro et le massif du Migliarello de l'autre côté de la vallée.

Point de départ : Col de Vizzavona, 1163 m, ou station radio, 1198 m, au bout de la voie sans issue (350 m) qui bifurque sur le col direction sud.
Dénivelée : 1000 m tout juste.
Difficulté : Randonnée de montagne fa-

tigante sur des sentiers bien balisés ; un peu d'escalade est nécessaire dans l'ascension du sommet.
Halte et hébergement : Restaurants et hôtels à Vizzavona, campings à Tattone.
Carte : ign 4252 OT (1:25 000).

Le large chemin de randonnée balisé commence derrière la clôture près du parking à côté de la **station radio**. Il s'élève à travers une jolie hêtraie puis se rétrécit au bout de quelques minutes avant de passer bientôt sous une ligne électrique (tout droit ici). 10 mn plus tard, il quitte la forêt et longe les **Bergeries des Pozzi**, 1377 m, avec des maisons en pierres. Il oblique maintenant à gauche vers le versant et gravit une pente raide, parfois légèrement couverte d'éboulis, avec une vue admirable sur la Vallée de la Gravona, le Monte d'Oro et la Pointe Migliarello. Au bout de 20 mn, nous arrivons à la crête, avec vue aussi en direction de Tattone et du Monte Cardo. Le chemin traverse une petite hêtraie jusqu'à la crête voisine à laquelle nous arrivons juste à côté du remarquable rocher de **la Madonuccia**.

La randonnée se poursuit en montant sur la crête à travers des prairies et des allées d'aulnes. Au bout de 10 mn, on longe la Punta Grado, 1602 m,

ainsi que la Punta Scarpiccia, 1813 m, après une demi-heure – la crête oblique ici à gauche. Le chemin passe ensuite à quelques mètres sous un sommet faiblement accentué (1851 m), puis se divise après 25 mn à 1920 m d'altitude. Le chemin principal bifurque ici à droite de la crête et continue en direction du Monte Renoso mais nous poursuivons notre ascension à gauche, un peu à l'écart de la crête. Arrivé au pied de la paroi (¼ h), le sentier balisé par des cairns tourne à gauche et monte sans interruption à proximité de la crête en bordure des rochers puis traverse vers la crête – la vue sur le Fium'Orbu et l'arête des statues est déjà grandiose d'ici ; le Monte Rotondo est également visible. Les rochers sommitaux de la **Punta di l'Oriente** coiffés d'une croix (tout à gauche) et accessibles par une légère escalade (I-II, à gauche pour finir), offrent un beau panorama sur le Monte Renoso.

Arrivée après une heure au rocher de la Madonuccia – vue sur le Monte d'Oro.

Courte excursion vers l'un des plus spectaculaires canyons de l'île

Les Gorges de la Richiusa au pied du massif grandiose du Migliarello sont un véritable joyau naturel – cet impressionnant canyon ne fait que 3 m de large entre deux parois hautes de 50 m. Elles attirent grand nombre de canyonistes tandis que les randonneurs se contentent d'une courte excursion jusqu'à l'entrée des gorges pour s'y rafraîchir dans les très agréables cuvettes.

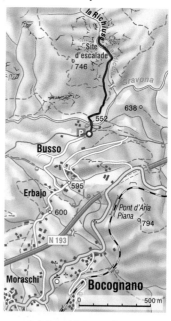

Point de départ : Parking de randonneurs à Busso, 570 m, quartier de Bocognano (à 1,6 km de l'ancienne route à la lisière supérieure du village, panneaux).
Dénivelée : 100 bons m.
Difficulté : Aucune, mais un peu d'escalade est nécessaire en fin de parcours.
Halte et hébergement : A Bocognano.
Variante : Le circuit de Richiusa bien balisé est conseillé aux randonneurs bien entraînés (3 h 30).
Idées : Les canyonistes montent par le sentier à gauche de l'entrée pour descendre ensuite à travers cet impressionnant canyon (attention à l'écriteau au parking à Busso !). Après la randonnée (l'après-midi), aller à la Cascade du Voile de la Mariée (suivre la D 27 depuis Bocognano ; à 10 mn de la route).
Carte : ign 4252 OT (1:25 000).

Depuis le parking des randonneurs à **Busso**, nous faisons encore 50 m sur la route qui descend jusqu'à un sentier de randonnée balisé en jaune qui se détache à gauche avant une centrale hydraulique. Il franchit la Gravona par le Pont de Busso 50 m plus loin à droite avant de se diviser – on continue ici à droite direction « Richiusa ». Au bout de 5 bonnes minutes, le chemin (panneaux) se divise à nouveau et on prend à gauche.
Après 2 mn, on reste sur le sentier qui s'étire tout droit direction « Site d'escalade ». Il franchit après quelques minutes le ruisseau de Cardiccia, monte brièvement à droite à travers la petite vallée transversale, puis re-

la Richiusa
630 m
Busso　　　　Busso
570 m　　　　570 m
　　　　　　　1.8 km
0　　1.10 h

Des cuvettes rafraîchissantes nous attendent à l'entrée des Gorges de la Richiusa.

tourne au ruisseau sur la gauche. Nous laissons ensuite le site d'escalade sur la droite et continuons à suivre le sentier balisé qui grimpe jusqu'à un éperon avant de descendre en pente raide au ruisseau pour rejoindre sur la berge droite et par des rochers l'entrée des **Gorges de la Richiusa**. L'entrée est bloquée par un joli bassin et après la cuvette suivante, une progression n'est possible qu'à condition d'être un grimpeur émérite.

Les Cascades de l'Agnone – un miracle de la nature

Dans nulle autre région de la Corse, nous trouvons une telle enfilade de « piscines » somptueuses, creusées dans la roche comme ici aux cascades du torrent d'Agnone. Il n'est guère de plus belles promenades que celle qui longe les Cascades des Anglais à travers les hêtraies ombragées et plus grand plaisir que de savourer au maximum ce miracle de la nature. Il est vrai, et ce n'est pas un secret, que les cascades sont un lieu touristique très fréquenté. Notre conseil : pour profiter de cette randonnée au maximum, mieux vaut partir dès l'aube.

Point de départ : Gare de Vizzavona, 915 m, ligne ferroviaire Corte – Ajaccio.
Dénivelée : 200 m.
Difficulté : Randonnée facile sur un chemin bien indiqué.
Halte et hébergement : Restaurants et hôtels à Vizzavona, campings à Tattone.
Variante : Il est également possible d'atteindre les Cascades des Anglais depuis La Foce au Col de Vizzavona, 1163 m (panneaux ; 20 mn jusqu'au kiosque).
Cartes : ign 4251 OT, 4252 OT (1:25 000).

De la **gare**, nous remontons direction sud une petite rue goudronnée jusqu'à ce que se détache à droite à la « Casa di a natura » le *GR 20 Nord* balisé en blanc-rouge. Nous suivons ce chemin qui franchit deux ponts en enfilade. Entre le 2ème pont

et le 3ᵉᵐᵉ, le GR 20 débouche à gauche sur une route forestière (10 mn). 10 mn plus tard, il quitte à nouveau la route forestière à gauche. Nous traversons une petite passerelle et montons tranquillement par un magnifique chemin boisé. Après un bon quart d'heure (depuis la passerelle), nous découvrons les premières cascades et plus loin, à un tournant du chemin, nous sommes déjà au début des Cascades des Anglais. Du pont en contrebas des cascades, il ne reste plus que quelques ruines. Il a été remplacé par un pont, près du kiosque, au départ des véritables cascades – ici, le GR 20 enjambe le ruisseau d'Agnone. Environ deux douzaines de cascades avec des bassins creusés dans les rochers se suivent maintenant en enfilade. Personne ne pourra sans doute résister à cette eau cristalline mais ceux qui souhaitent poursuivre leur promenade atteindront après 2 h au total le Pont de Tortetto. En cours de route, il est possible de faire un détour vers la gauche par la Bergerie de Porteto, 1364 m, qui se trouve dans un très beau site. Une autre cascade attire également pas mal de touristes (à 15 mn à peine du Pont de Portetto).

Variante pour le retour (1 h 15) : Passé le kiosque, on suit le chemin forestier sur la berge droite. Après le parc accrobranche où on arrive bientôt (légèrement à droite à la bifurcation), on continue jusqu'à la grand-route à La Foce. On parcourt ici 40 m sur la droite et avant d'arriver l'Auberge A Muntagnera, on franchit à gauche le petit mur (points bleus) et on monte jusqu'à un large chemin. Une fois là, on tourne à gauche et on descend à gauche 20 mn plus tard à la bifurcation (écriteau « Vizzavona Gare ») jusqu'à la grand-route. Après 200 m sur la droite, le chemin de randonnée continue à gauche après une bande de stationnement. Il croise un chemin forestier et passe bientôt devant une petite maison forestière – on descend ici tout droit sur le large chemin forestier qui débouche près de la Casa di a natura dans le GR 20 et la route qui nous ramène à la gare sur la gauche.

Les cascades des Anglais sont l'un des plus beaux joyaux de l'île.

Paradis de rochers au-dessus du Col de Vizzavona

Au Monte d'Oro, nous avons la chance exceptionnelle de pouvoir monter et descendre par deux parcours différents, ce qui accentue considérablement le sentiment d'aventure de cette excursion panoramique.

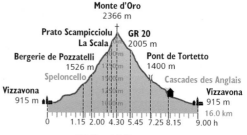

Monte d'Oro
2366 m
Prato Scampicciolu
La Scala · GR 20 2005 m
Bergerie de Pozzatelli · Pont de Tortetto
1526 m · 1400 m
Speloncello · Cascades des Anglais
Vizzavona · Vizzavona
915 m · 915 m
16.0 km
0 · 1.15 · 2.00 · 4.30 · 5.45 · 7.25 · 8.15 · 9.00 h

Point de départ : Gare de Vizzavona, 915 m, ligne ferroviaire Corte – Ajaccio.
Dénivelée : 1500 m.
Difficulté : Randonnée de montagne fatigante sur des sentiers bien balisés (rester attentif aux repères toutefois) ; la montée au sommet exige une légère expérience de l'escalade (I–II).

Halte et hébergement : Restaurants et hôtels à Vizzavona ainsi que campings à Tattone.
Carte : ign 4251 OT (1:25 000).

De la **gare**, nous remontons direction sud une petite rue goudronnée jusqu'à ce que se détache à droite à la « Casa di a natura » le *GR 20 Nord* balisé en blanc-rouge. Nous suivons ce chemin qui franchit deux ponts en enfilade. Entre le 2ème pont et le 3ème, le GR 20 quitte notre chemin de montée vers la gauche. Nous traversons à droite un petit pont en pierre et tout de suite après, nous tournons à gauche dans le chemin balisé en jaune (écriteau « Monte d'Oro »). Il croise quelques minutes plus tard une route forestière ; encore 10 mn et nous arrivons à un chemin transversal que nous suivons

Panorama du sommet depuis le Monte Renoso (à gauche) sur le groupe de Migliarello jusqu'au Monte Rotondo (à droite).

Jusqu'au mois de juillet, des champs de neige peuvent compliquer la montée depuis le cirque de montagne à travers le couloir (à gauche) vers le sommet du Monte d'Oro.

vers la droite. Tout de suite après avoir franchi un ruisseau, il débouche sur une large route forestière que nous quittons 7 mn plus tard à gauche par le chemin de randonnée balisé en jaune. Par la suite, nous croisons encore deux fois la route forestière avant de la quitter définitivement (écriteau). Après 1 h 15 de marche au total, notre chemin franchit le ruisseau de Speloncello et s'élève bientôt en se faufilant sur la berge droite. Peu avant la **Bergerie de Pozzatelli**, 1526 m, nous traversons un affluent et déjà nous découvrons à gauche les cabanes en pierre de l'alpage (2 h). L'ascension se poursuit en grande partie près du ruisseau jusqu'à un magnifique cirque dominé de tours rocheuses et de champs d'éboulis après avoir traversé des taillis d'aulnes. Là, le sentier jalonné dévie en une vaste courbe à gauche et pénètre dans un couloir empierré et rocheux, « La Scala », très escarpé et parfois enneigé jusqu'au mois de juillet. De plus, quelques zones d'escalade (I) doivent être surmontées ici. Après 4 h de marche, nous accédons à un

Le plateau herbeux avec le sommet.

plateau herbeux (source) d'où nous atteignons, en passant par des éboulis et des rochers (II) le sommet du **Monte d'Oro** (30 mn). Par temps clair, le panorama s'étend au-delà du massif sauvage du Migliarello jusqu'au Golfe d'Ajaccio.

Après une halte bien méritée, nous descendons à nouveau pendant 5 mn au moins jusqu'à la plate-forme d'éboulis, l'**Épaule de la Jonction**. Ici,

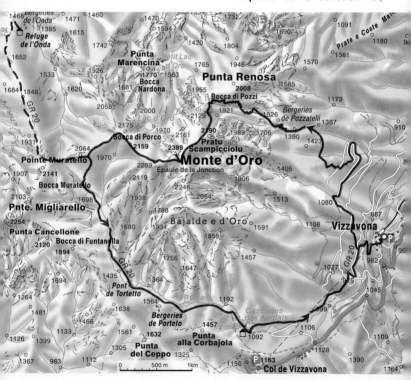

Descente du Bocca di Porco dans la vallée d'Agnone – en haut, la Pointe Migliarello.

nous continuons à la fourche à droite, direction « Muratello » (flèche sur un rocher), en suivant toujours le balisage jaune. Après une courte descente, le sentier traverse un champ d'éboulis escarpé, puis il monte et descend le long de la crête jusqu'au **Bocca di Porco** (1h tout juste) avant de descendre bientôt à gauche vers le *GR 20*, balisé en blanc-rouge (20 mn) que nous suivons vers la gauche (sud). Nous passons devant une cascade, traversons après 3 h de marche au total au **Pont de Tortetto** le ruisseau d'Agnone et nous descendons bientôt à travers des hêtraies ombragées le long des splendides **Cascades des Anglais**. A peine 1 h plus tard, près d'un kiosque, le GR 20 retourne vers la rive gauche (pont). Par un joli chemin boisé, nous avançons maintenant vers une route forestière et franchissons à la fin une passerelle. La route, une fois atteinte, nous ramène en 10 mn au 2ème pont de notre itinéraire de montée (tourner à droite) et à la gare de **Vizzavona**.

Randonnée de cascades dans un site montagneux féerique

L'itinéraire de randonnée, joli et varié, à travers la Vallée du Manganello convient à tous : les familles avec des enfants apprécieront le vif ruisseau, notre compagnon fidèle, tandis que les randonneurs bien entraînés s'empresseront de faire la longue ascension jusqu'au Refuge de Petra Piana au pied du Monte Rotondo, deuxième plus haut sommet de l'île.

Localité dans la vallée : Tattone, gare de la ligne ferroviaire Corte – Ajaccio.

Point de départ : Canaglia, 720 m. Route de Tattone. Parking au début du chemin. 30 mn à pied de la gare de Tattone.

Dénivelée : Vers les cascades 500 m, vers le Refuge de Petra Piana, 1150 m.

Difficulté : Randonnée facile en vallée ; montée éprouvante vers le refuge.

Halte et hébergement : Bergeries de Tolla, Refuge de Petra Piana, bars-restaurants à Canaglia et Tattone, hôtels à Vivario et Vizzavona, campings à Tattone.

Variantes : Des Bergeries de Gialgo, descente au Pont du Vecchio. Du Refuge de Petra Piana (nuitée), au Monte Rotondo (2 h, →itin. 65) ou au Refuge de l'Onda. De là (nuitée) vers Vizzavona (→itin. 60) ou retour vers Canaglia par la Vallée de Grottaccia.

Carte : ign 4251 OT (1:25 000).

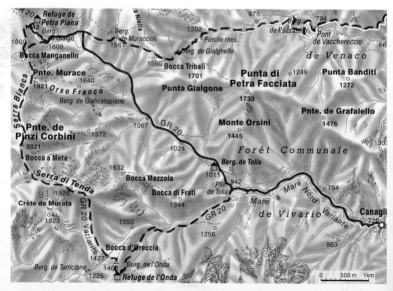

Près des Bergeries de Tolla, belle vue sur le Monte d'Oro.

De **Canaglia**, nous empruntons la route empierrée marquée en orange et montons doucement à travers des pinèdes et des châtaigneraies. Nous traversons un pont (porte à claire-voie, continuer 50 m plus loin tout droit à la bifurcation sur le sentier pédestre) et nous atteignons après 15 bonnes mn le ruisseau de **Manganello**. Ce cours d'eau avec ses beaux bassins nous accompagne jusqu'au Pont de Tolla (1 h 15) mais avant d'y arriver, nous franchissons à la Cascade de Meli un autre pont. Les plus belles « piscines » se trouvent entre les ponts de Meli et de **Tolla** où nous retrouvons le *GR 20* balisé en blanc-rouge. Nous suivons celui-ci à droite au-delà du Manganello et grimpons à travers une futaie clairsemée vers les proches **Bergeries de Tolla**, 1011 m (vente de fromage, en-cas, boissons en haute saison). C'est alors que s'ouvre une magnifique haute vallée que nous traversons sur des chemins forestiers et des prés à faible pente. Après 45 mn, nous débouchons sur une **enfilade de cascades** qui comptent parmi les plus belles de

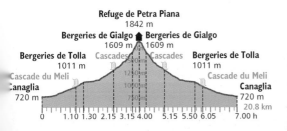

Corse. Ici, le ruisseau sautille au-dessus des dalles rocheuses et des terrasses d'une cuvette à l'autre dotée de douches ou de toboggans selon le goût du baigneur. A l'arrière-plan, le Massif du Rotondo complète le tableau pittoresque. La suite du chemin à travers la haute vallée presque déboisée est moins spectaculaire et en outre très éprouvante, une raison pour laquelle la plupart des randonneurs rebroussent chemin aux cascades. Après 3 h 15 de marche au total, nous traversons le plateau envahi de taillis d'aulnes près des Bergeries de Gialgo, 1609 m ; encore 45 mn et nous atteignons le Refuge de Petra Piana, 1842 m, point de chute merveilleusement situé pour de nombreux alpinistes avant l'ascension du Rotondo.

Merveilleuse enfilade de cascades. En bas : Dépendance du Refuge de Petra Piana.

Un circuit plein d'attraits au pied du Monte Cardo

Tous les ans, le 29 août, un pèlerinage est organisé jusqu'à la chapelle Santo Eliseo lovée au cœur d'un magnifique site panoramique au pied de l'imposant Monte Cardo, 2453 m.

On peut y accéder au cours d'un superbe circuit qui longe également plusieurs bergeries très romantiques.

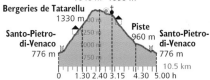

Point de départ : Eglise de Santo-Pietro-di-Venaco, 776 m, accessible depuis la N 193 près de Venaco via la D 350.
Dénivelée : 900 m.
Difficulté : Circuit facile mais un peu long sur un chemin de randonnée balisé.

Halte et hébergement : Restaurants, hôtels et camping à Venaco.
Carte : ign 4251 OT (1:25 000).

Nous montons par la rue du village à côté de l'église de **Santo-Pietro-di-Venaco**. Elle se divise au bout de 5 mn près d'un pont (parkings, lavoir) – nous montons ici à gauche puis, à la bifurcation suivante, à droite (balisage orange) jusqu'au bout de la ruelle où le chemin de randonnée oblique à droite. 50 m plus loin, nous poursuivons notre ascension en suivant le bali-

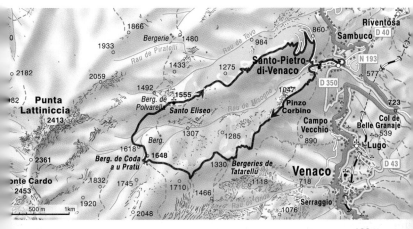

La Bergerie de Coda a u Pratu au pied du massif du Monte Cardo.

sage orange légèrement à gauche puis, peu après un bâtiment, légèrement à droite à travers une petite châtaigneraie. L'ancien joli chemin se redresse et se faufile à l'ombre du maquis bientôt moins touffu.

Au bout d'une demi-heure, le chemin s'aplanit et s'étire durant quelques minutes légèrement à l'écart de la crête tout en offrant une superbe vue sur les vastes paysages de vallées autour de Venaco (attention au balisage ici !). Au bout d'environ 20 mn, nous passons devant une grotte habitée cachée (abri) avant d'arriver après tout juste une demi-heure aux Bergeries de Tatarellu, 1330 m, sur une merveilleuse plateforme panoramique.

Après le dernier bâtiment, le chemin de randonnée passe devant un imposant hêtre puis, 5 mn plus tard, devant une autre petite maison (nous ignorons juste après un chemin à gauche vers les Bergeries Ubuli/Venaco). Le chemin de randonnée ne tarde pas à obliquer à droite vers la hêtraie puis il franchit un petit ruisseau avant de continuer l'ascension sur un sol bien pentu. Après un quart d'heure, nous laissons la hêtraie derrière nous et nous continuons à monter sur la croupe herbeuse escarpée jusqu'à ce que le chemin balisé en orange 20 mn plus tard légèrement en contrebas d'un groupe de rochers se dirige sur la droite et franchisse l'arête (nous pouvons déjà distinguer de l'autre côté de la vallée la Chapelle Santo Eliseo). Il s'étire maintenant en restant à la même altitude à travers des aulnes embroussaillés et rejoint au bout de 20 mn **la Bergerie de Coda a u Pratu**, 1648 m, lovée dans un cirque rocheux.

50 m avant d'y arriver, le chemin se divise – nous descendons ici à droite en suivant le balisage orange. Le chemin franchit bientôt le ruisseau de Misogno puis traverse le versant jusqu'à la crête suivante où nous rencontrons la Bergerie de Polvarella et juste après la **Chapelle Santo Eliseo**, 1555 m, – panorama grandiose sur la côte orientale, le Monte San Petrone et en direction du Monte Cardo, accessible en trois heures d'ici.

Le chemin de randonnée descend maintenant sur l'arête parsemée de rochers avec une vue constante sur Venaco. Après un quart d'heure, il quitte la forêt et longe quelques minutes plus tard un surplomb rocheux (abri ; prendre à droite juste après à la bifurcation l'Ernacce). Une demi-heure plus tard, nous traversons le terrain d'une bergerie (Stazzalellu di i Culletti) et nous ignorons ensuite le sentier botanique du Caracutu à gauche. 5 mn après, nous passons devant une vieille maison en pierres au milieu de la forêt (Stazzu di L'Abertina) – nous ignorons ici un chemin sur la droite et nous arrivons peu après à une piste que nous suivons à droite. Elle débouche après tout juste une demi-heure dans **Santo-Pietro-di-Venaco** au pont routier sur le chemin de l'ascension – après le pont, retour à l'église par la rue du village à gauche.

La chapelle Santo Eliseo sur la croupe panoramique d'une crête.

63 Lac de Melo, 1711 m, et Lac de Capitello, 1930 m

3 h 30

Par le Lac de Melo vers le plus beau lac des montagnes de la Corse

Aucun des lacs de montagne de la Corse n'est aussi dramatiquement bordé de tours rocheuses et – même en été – de champs de neige que le Lac de Capitello, ce qui lui vaut d'être considéré par beaucoup comme le plus beau de l'île. Le Lac de Melo en revanche invite à un pique-nique même si les alpages près de son rivage sont en été l'un des sites touristiques les plus visités de Corse.

Localité dans la vallée : Corte, 396 m.
Point de départ : Bergerie de Grottelle, 1370 m, au bout de la route vers la Vallée de la Restonica (à 15 km de Corte).
Dénivelée : Env. 600 m.
Difficulté : Chemins faciles, bien balisés avec de courtes escalades assurées, qui en partie, peuvent être contournées (vers le Lac de Melo).
Halte et hébergement : Buvette en chemin, Bergerie de Grottelle, restaurants, hôtels et campings en bordure de route dans la Vallée de la Restonica et à Corte.
Variante : Lac de Capitello – GR 20 – Lac de Melo (2 h 30) : ascension avec le balisage jaune jusqu'au GR 20 sur la crête principale, 2090 m (35 mn ; possibilité de monter à droite à la Punta alle Porte, 2313 m, 1 h, ou à la

Pointe des Sept Lacs, 2266 m, qui offre au randonneur pas moins de sept lacs de montagne). En suivant le GR 20 à gauche derrière la crête (un peu d'escalade au départ ; insensibilité au vertige nécessaire), arrivée après 45 mn à la Bocca a Soglia, 2052 m (écriteau ; tout droit 2 h 45 jusqu'au Refuge de Petra Piana). D'ici, descente à gauche jusqu'au Lac de Melo (balisage jaune, 1 h 15).
Poursuivre avec l'itin. 64.
Carte : ign 4251 OT (1:25 000).

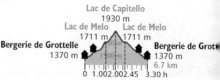

Lac de Capitello
1930 m
Lac de Melo   Lac de Melo
1711 m   1711 m
Bergerie de Grottelle   Bergerie de Grott
1370 m   1370 m
6.7 km
0   1.00 2.00 2.45   3.30 h

Le point de départ est le parking au bout de l'étroite route asphaltée à travers la Vallée de la Restonica, près de la **Bergerie de Grotelle**. Le sentier, très bien balisé en jaune, s'élève la plupart du temps aisément le long du côté droit de la vallée. Au bout de 25 mn, nous passons devant la Bergerie de Melo (buvette) et 5 bonnes mn plus tard, le chemin se divise près d'un gros amas de pierres. Nous continuons ici soit légèrement à gauche sur l'itinéraire principal commode qui traverse immédiatement le ruisseau et monte sur le côté gauche de la vallée jusqu'au lac – soit à droite sur le chemin plus difficile avec quelques passages d'escalade sécurisés par des chaînes et deux escaliers métalliques. Les deux chemins se rejoignent au **Lac de Melo**, 1711 m – (1 h au moins, source juste avant le lac).

L'itinéraire menant aux lacs comporte quelques passages d'escalade facile. Au début de l'été, des champs de neige sont encore possibles.

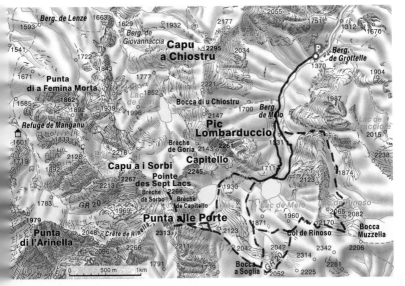

En haut : Belle vue sur le Lac de Melo depuis le chemin du Lac de Capitello.
En bas : La berge du lac de Melo propose de magnifiques aires de repos.

Ceux qui veulent monter au Lac de Capitello suivront la rive droite vers le bâtiment de l'administration du Parc naturel régional, d'où le sentier balisé en jaune bifurque dans la direction souhaitée. Nous restons sur la rive droite du ruisseau – devant nous se détache le magnifique décor de rochers de la Pointe des Sept Lacs et du Capu a i Sorbi. Le sentier en partie désagréablement caillouteux et rocheux est très raide et plus difficile à évaluer que celui menant au Lac de Melo car il n'est pas sécurisé ici. Juste avant le lac, nous franchissons le ruisseau (délicat par temps de pluie) et nous nous trouvons finalement devant le **Lac de Capitello**, 1930 m (1 h). La suite de l'itinéraire balisée en jaune conduit vers le GR 20 qui s'étire loin au-dessus du lac (→variante).

Montée du lac de Capitello jusqu'à la crête avec le GR 20 (variante).

Un superbe lac solitaire loin des sentiers touristiques

A deux pas du Lac de Capitello très fréquenté, se trouve un autre merveilleux lac de montagne que l'on peut avoir tout à soi avec un peu de chance – le Lac de Goria. L'itinéraire pour arriver dans ces lieux isolés et idylliques demande toutefois des efforts : le sentier par la Brèche de Goria est en effet très escarpé et le couloir est en général couvert de neige jusqu'en été.

Localité dans la vallée : Corte, 396 m. Gare de chemin de fer de la ligne Bastia – Ponte Leccia – Ajaccio.
Point de départ : Bergerie de Grottelle, 1370 m, au bout de la route vers la Vallée de la Restonica (à 15 km de Corte).
Dénivelée : Env. 1100 m.
Difficulté : Longue et fatigante randonnée de montagne qui exige une bonne condition physique ainsi qu'un pied sûr et une insensibilité au vertige (escalade par endroits, I, tracé pas toujours distinct depuis la Brèche de Goria). Conseillée uniquement par temps sûr, à partir de juin/juillet au plus tôt !
Halte et héberge-

ment : Bar près de la Bergerie de Grottelle, restaurants, hôtels et campings sur la route dans la Vallée de la Restonica et à Corte.
Variantes : Depuis la Brèche de Goria, possibilité de monter au sommet ouest du Pic Lombarduccio, 2261 m (20 mn). – Circuit : aller (embranchement à la Bergerie de Melo) ou retour via le Bocca di u Chiostru, 2147 m.
Carte : ign 4251 OT (1:25 000).

Le tracé est identique au départ à celui de →l'itinéraire 63. Nous montons donc depuis la **Bergerie de Grottelle** jusqu'au **Lac de Melo**, 1711 m (1 h minimum) et suivons sur la berge droite l'itinéraire de randonnée direction Lac de Capitello. Il franchit après 30 mn un ruisseau et quelques minutes plus tard, nous passons devant un gros tas de pierres. Encore une minute et un sentier balisé (cairns) et distinct bifurque à droite (avant le ressaut escarpé suivant) en croisant le ruisseau. Il monte directement en pente raide

Le couloir escarpé monte à la Brèche de Goria.

jusqu'à la brèche entre le Pic Lombarduccio (à droite) et le Capitello (à gauche) – un peu d'escalade est par endroits nécessaire (I) et il faut s'attendre au début de l'été à de nombreux champs de neige. Cette pénible ascension dure environ 1 h jusqu'à la remarquable **Brèche de Goria**, 2143 m, qui ne fait que 2 m de large et depuis laquelle nous avons une vue grandiose sur le Lac de Goria et le Lac de Nino jusqu'à Pagia Orba et Monte Cinto (photo à gauche).

Après une courte descente escarpée, le sentier s'étire à droite à l'écart d'un couloir couvert d'éboulis et de roches. Nous descendons ensuite toujours en diagonale sur la droite à travers le versant, la plupart du temps au milieu d'éboulis et de roches brisées. 45 mn environ après la brèche, nous arrivons sur la berge est du **Lac de Goria**. La combe avec le lac se termine derrière par l'impressionnant cirque rocheux du Capu a i Sorbi et de la Pointe des Sept Lacs (photo en bas).

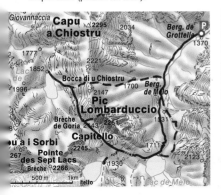

Lavu del'Oriente, 2061 m, et Monte Rotondo, 2622 m

8 h 30

L'ascension de la montagne, un événement inoubliable

L'ascension du Monte Rotondo est une randonnée très impressionnante à travers de beaux paysages et l'un des plus grands challenges que la Corse puisse offrir aux randonneurs de haute montagne. Il n'en reste pas moins qu'il faut venir à bout d'une montée abrupte de 1600 m de dénivelée. Entreprenez donc cette ascension le plus tôt possible dans la matinée pour avoir une bonne visibilité. Ferdinand Gregorovius la prônait dans ses notes de l'année 1852 : « L'horizon, que l'on domine du Rotondo, est de loin plus grandiose et plus impressionnant que celui du Mont Blanc ». Il est vrai que par beau temps, nous avons une vue plongeante exceptionnelle sur l'ensemble des cimes et lacs de montagne importants de l'île (sauf le Lac de Melo). Ceux qui ne s'intéressent pas aux sommets devraient au moins se rendre au lac idyllique de l'Oriente. Là, s'ouvre devant nous un monde fantastique de haute montagne qui n'a pas son pareil : des tapis herbeux d'un vert foncé, des ruisseaux murmurants et des champs de neige étincelants. C'est comme si nous étions dans un gigantesque amphithéâtre dont le point culminant serait le bloc sommital du Rotondo.

Localité dans la vallée : Corte, 396 m.
Point de départ : Pont du Timozzu, 1000 m, à 11 km à l'ouest de Corte, par la route dans la Vallée de la Restonica. En saison, liaison en bus depuis Corte. Possibilités de parking au Pont de Tragone qui enjambe juste avant la Restonica.
Dénivelée : Jusqu'au Lavu del'Oriente 1100 m, Monte Rotondo 1650 m.

Difficulté : Jusqu'au Lavu del'Oriente, randonnée facile, bien que pénible, sur des sentiers bien jalonnés, vers le sommet du Rotondo, un pied sûr (I+) et une bonne condition physique sont nécessaires. Le couloir vers le sommet est fréquemment enneigé jusqu'au mois de juillet.
Halte et hébergement : Abri au sommet; restaurants, hôtels et campings dans la Vallée de la Restonica et à Corte.
Variante : Ascension en 2 jours : se rendre en train de Corte à Tattone, monter en suivant →l'itin. 61 vers le Refuge de Petra Piana (nuitée) et le lendemain, marcher vers le sommet, puis descendre dans la Vallée de la Restonica.
Carte : ign 4251 OT (1:25 000).

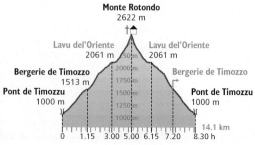

Monte Rotondo
2622 m

Lavu del'Oriente
2061 m

Lavu del'Oriente
2061 m

Bergerie de Timozzo
1513 m

Bergerie de Timozzo

Pont de Timozzu
1000 m

Pont de Timozzu
1000 m

2500 m
2000 m
1750 m
1500 m
1250 m
1000 m

14.1 km

0   1.15   3.00   5.00 6.15 7.20   8.30 h

Bivouac au sommet. En bas : la Bergerie de Timozzu.

Du **Pont de Timozzu**, nous remontons encore un peu la route jusqu'à ce que se détache à gauche un chemin forestier escarpé avec une barrière (bloc de rocher avec l'inscription « *Timozzu/Rotondu* »). Après 15 mn environ, le chemin forestier se divise et nous continuons ici à droite. 10 bonnes minutes plus tard, le chemin forestier ombragé se transforme en un sentier jalonné de cairns qui s'élève en tournants abrupts le long de la rive droite du ruisseau à travers la merveilleuse forêt qui peu à peu s'éclaircit. Après 1 h 15 en tout, nous arrivons aux cabanes de la **Bergerie de Timozzu**, 1513 m (vente de fromage en juillet et août). Vient ensuite l'ascension pénible (avant la bergerie à droite) d'une croupe de montagne couverte de taillis d'aulnes et de genévriers

Le lac idyllique de l'Oriente nous offre un amphithéâtre d'allure gigantesque dont le point culminant est le sommet du Monte Rotondo. A droite de la cime (à gauche du centre), le couloir qu'emprunte le chemin de la montée.

nains. Ce n'est qu'après 1 h que le sentier devient plus aisé le long de la rive droite du gai ruisseau de **Timozzu**. Peu avant une petite cascade, nous traversons le ruisseau (20 mn). Le sentier monte à présent sur la gauche jusqu'à une croupe (10 mn) puis revient par la droite via le versant jusqu' au ruisseau. 10 bonnes minutes plus tard, il change à nouveau de rive et nous

conduit à travers de luxuriants tapis herbeux au **Lavu del'Oriente**, 2061 m, avec ses îlots de prés et de rochers enchanteurs.

Du lac, nous pouvons déjà bien étudier le tracé de la suite de l'ascension. Le sentier balisé de cairns nous conduit d'abord, en se tenant sur la gauche, par des pâturages, des dalles rocheuses et le ruisseau au bord du cirque d'Oriente avant d'entamer une montée éprouvante à travers une enfilade de vires rocheuses, d'éboulis et de blocs de roche qui nous conduit en direction sud vers le **couloir** bien distinct qui descend à droite du sommet du Rotondo. Au pied de cette large moraine, nous traversons – ou plutôt nous contournons – un champ qui reste fréquemment couvert de neige même en plein été. Le seul moment de bonheur au cours de cette rude escalade de rochers (en partie I) et d'éboulis, est le petit Lac de Galiera, que nous découvrons sur le côté derrière nous. Attention : des chutes de pierres sont possibles par endroits dans le raidillon du couloir ! Après 1 h 45 nous accédons finalement à la brèche située à droite du bloc du sommet – directement au-dessus du Lac de Bastani. Il nous reste qu'à grimper vers la gauche jusqu'au proche sommet du **Monte Rotondo** (à la fin, escalade facile, I+) avec son abri recouvert de tôle ondulée.

Plateau avec d'anciennes bergeries et un panorama grandiose

Vous allez être enthousiasmés à la vue des cabanes originales des Bergeries de Capellaccia dont certaines se blottissent, semblables parfois à une forteresse, contre les châteaux de roches. Nous sommes ici au point culminant du vaste haut plateau d'Alzo et profitons d'une vue panoramique grandiose qui s'étend du Rotondo jusqu'au Cinto en passant par la Punta Artica et la Paglia Orba.

Localité dans la vallée : Corte, 396 m.
Point de départ : Parking des deux côtés du Pont de Frasseta, 900 m, à env. 350 du Pont de Tragone (premier pont-route sur la Restonica à 11 km de Corte).
Dénivelée : 800 bons m.
Difficulté : Montée un peu pénible par un sentier muletier bien balisé.
Halte et hébergement : Dans la Vallée de la Restonica et à Corte.
Variantes : Ascension du Forcelle, 1765 m (photo en bas ; 30 mn) : depuis les Bergeries de Cappellaccia, prendre vers l'est légèrement sur la gauche sous la crête jusqu'au col devant le sommet (15 mn), puis monter par un couloir en ligne di-

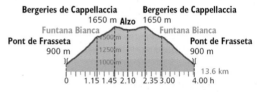

recte jusqu'à la pointe du Forcelle (légère escalade dans les derniers mètres).
La promenade peut être transformée en une randonnée d'étapes merveilleuse de deux jours : de la Bergerie d'Alzo en passant par la maison forestière d'Alzo au Refuge de Sega (1 h, nuitée), de là, le long du Tavignano vers Corte (→itin. 67), en passant par le Bocca à l'Arinella vers Casamaccioli ou par le Lac de Nino vers la maison forestière de Poppaghia (→itin. 68).
Carte : ign 4251 OT (1:25 000).

Un **panneau** et le balisage orange nous indiquent le chemin à suivre. Il s'élève d'abord en formant d'amples lacets à travers une pinède qui s'éclaircit bientôt. 15 mn plus tard un chemin se détache légèrement à gauche vers la Bergerie de Grottelle mais nous l'ignorons. Après 5 bonnes mn, le chemin balisé en rouge oblique à nouveau à droite. S'ensuit alors une traversée de versant assez longue, mais bientôt la vue s'ouvre sur le Pic Lombarduccio situé au fond de la Vallée de la Restonica. Le faîte du Rotondo, ourlé au début de l'été de champs de neige, se dresse peu à peu au-dessus des crêtes avancées. Après 40 mn, nous arrivons à une crête de

Le beau chemin de randonnée avec, tout au fond, le Monte Rotondo enneigé.

montagne que nous gravissons en serpentant. Le sentier, en partie consolidé et balisé en rouge est bien visible. Après 1 h 15 de marche, nous quittons la crête sur la droite et traversons deux ruisselets l'un après l'autre (Funtana Bianca) et une pente. Là, nous apercevons déjà la première cheminée et nous grimpons en lacets jusqu'aux **Bergeries de Cappellaccia**, 1650 m (1 h 45, puits). Non loin de là, se trouve l'insolite **Bergerie de Colletta**. En descendant le sentier marqué en rouge vers le haut plateau, nous arrivons à la **Bergerie d'Alzo** en 25 mn et là, avec un peu de chance, nous pouvons acheter du fromage. Ceux qui souhaitent continuer leur randonnée rencontreront peu après un autre refuge, la maison forestière d'Alzo. D'ici, un sentier très bien jalonné descend en prenant légèrement sur la gauche au Refuge de Sega.

4 h 30

Rendez-vous au pont sur le Tavignano par le sentier muletier

La Vallée du Tavignano est l'une des plus belles vallées de montagne de Corse. Bien qu'elle ne possède pas d'aussi jolies pinèdes que la Vallée de la Restonica, elle offre tout de même une profonde gorge encaissée de rochers avec de nombreuses « piscines » et surtout, la vallée est le royaume des randonneurs.

Point de départ : Parking payant, 450 m, au bout de la rue St-Joseph ou plutôt du Chemin de Baliri à Corte : depuis le centre, sur la route principale en direction d'Ajaccio, avant le Pont du Tavigna-no, tourner à droite jusqu'au bout du Chemin de Baliri.

Dénivelée : Env. 450 m.

Difficulté : Randonnée sur des pentes faciles très ensoleillées par un sentier muletier bien balisé ; remontées nombreuses !

Halte et hébergement : A Corte.

Variantes : Possibilité d'ascension depuis le pont, le long de la rive gauche du Tavignano, vers le Refuge de Sega, 1166 m (2 h 30, →itin. 66).

Cartes : ign 4250 OT, 4251 OT (1:25 000).

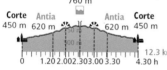

Passerelle Russulinu
760 m

Corte   Antia   Antia   Corte
450 m   620 m   620 m   450 m

12.3 km

0   1.20 2.00 2.30 3.00 3.30   4.30 h

Les **écriteaux** (« Passerelle Russulinu ») au parking nous indiquent clairement le chemin à suivre. Le sentier muletier balisé en orange et remarquablement entretenu, s'élève doucement au-dessus du Tavignano avant de s'enfoncer dans la vallée (à droite après quelques minutes) au milieu des cistes blanches et des touffes de lavande mauve. Ce n'est qu'au bout d'une

Le chemin splendide, souvent pavé, à travers le ravin du Tavignano.

heure que quelques pins viennent aussi nous tenir compagnie. Arrivé à deux châtaigniers, nous traversons le lit d'un ruisseau et 20 mn plus tard, près d'une **cabane en pierre**, nous franchissons celui de l'Antia (belles aires de repos). Nous embrassons d'un dernier regard les jolis bassins à nos pieds, avant de voir le Tavignano disparaître dans une gorge. Cependant, assez rapidement, après une montée un peu plus ardue, nous accédons à un **plateau rocheux** (760 m) qui nous offre à nouveau une vue sur la rivière, maintenant bordée de rochers et garnie de splendides « baignoires » entourées de rochers. Peu à peu, le sentier se rapproche du Tavignano, la plus belle partie du chemin avec de beaux rochers (tafoni) en bordure. Peu après une autre traversée de ruisseau, nous atteignons le **pont** (Passerelle Russulinu) qui enjambe le Tavignano. Là, au milieu des bassins rocheux attirants, nous pouvons choisir une place au soleil pour nous baigner.

Un paradis montagneux au cœur de tapis herbeux verdoyants

Caché dans une auge peu profonde, ce paradis de montagne bordé de verts alpages et émaillé de sombres méandres, s'étend devant nous. Ici, les maigres porcs cherchent en été des friandises cachées. Des alpinistes déchaînés font la chasse, sans succès, à ces animaux à queue en tire-bouchon.

Depuis les taillis le long du lac, vous pouvez entendre des sonnailles tandis que des chevaux paissent paisiblement dans les prés déjà broutés et se font gâter par les randonneurs ; ni clôture, ni berger en vue. Malgré la raideur de la pente dans la deuxième partie, la montée est un vrai plaisir, grâce aux magnifiques pins laricios du Valdu Niellu (Forêt Noire) et à la vue extraordinaire vers la crête entre Paglia Orba et le Massif du Cinto.

Localité dans la vallée : Albertacce, 860 m, village du Niolu près du lac de retenue de Calacuccia.

Point de départ : Maison forestière de Poppaghia, 1076 m, à 10,5 km à l'est du Col de Verghio (parcours accrobranche à côté).

Dénivelée : Env. 730 m.

Difficulté : Randonnée facile, cependant pénible vers la fin, sur un sentier bien balisé.

Halte et hébergement : Hôtel-restaurant « Castel di Verghio » sur la route vers le Col de Verghio ; restaurants à Albertacce et Calacuccia.

Variantes : Le Lac de Nino peut aussi être atteint depuis l'hôtel « Castel di Verghio », 1404 m (3h30). Pour étaler cette randonnée sur deux ou trois jours, descendre le long du Tavignano jusqu'au Refuge de Sega (nuitée, →itin. 66 et 67), ou continuer par le GR 20, en passant par le Refuge de Manganu (nuitée), vers la Vallée de la Restonica ou même jusqu'au Rotondo. Possibilité de monter du lac vers la panoramique Punta Artica, 2327 m (3h aller-retour).

Carte : ign 4251 OT (1:25 000).

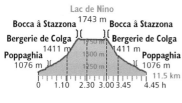

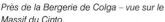

Lac de Nino
1743 m

Bocca à Stazzona | Bocca à Stazzona
Bergerie de Colga | Bergerie de Colga
1411 m | 1411 m
Poppaghia | Poppaghia
1076 m | 1076 m

11.5 km

0   1.10   2.30 3.00 3.45   4.45 h

Près de la Bergerie de Colga – vue sur le Massif du Cinto.

Nous commençons la promenade à la **maison forestière de Poppaghia** en bordure de la route Col de Verghio – Albertacce. Au parking, nous rencontrons pour la première fois des cochons à moitié sauvages. Le chemin bien balisé s'élève à travers une merveilleuse pinède et épouse après une courte traversée pentue le flanc droit de la vallée du ruisseau de Colga. Après 1 h de marche environ – auparavant, nous changeons de rive vers la gauche en traversant des taillis d'aulnes – nous atteignons la **Bergerie de Colga**, 1411 m.

Suit une montée éprouvante par des éboulis et des dalles rocheuses vers le col de **Bocca à Stazzona**, 1762 m (env. 1h15 depuis la bergerie). Pendant une halte, nous pouvons jouir de la vue panoramique vers le Massif du Cinto et, à nos pieds, de notre paradis montagneux avant de descendre vers le **Lac de Nino**, 1743 m, pour nous installer confortablement sur les alpages (parfois trop) verts (15 mn depuis le col).

Les abords du Lac de Nino ont la préférence des randonneurs, mais aussi des vaches, des cochons et des chevaux. Derrière à gauche le Monte Rotondo.

Sentiers pleins de charme vers le roi des montagnes corses

C'est le roi des montagnes corses. Par temps clair, la vue du sommet du Cinto embrasse la côte est et ouest ; toutes les montagnes, en tout cas celles de la Corse du nord, sont aux pieds des alpinistes amoureux de sommets. La montée depuis Haut-Asco est fatigante, mais l'ascension depuis le sud est un plaisir, mis à part le passage d'éboulis dans le premier tiers. Les escalades sont facilitées par la roche solide et non glissante. En tout cas, l'amoureux des sommets entreprendra l'ascension au petit jour pour échapper à la grande chaleur et jouir ainsi d'une bonne visibilité.

Point de départ : Lozzi, 1080, m, petit village de Niolu au-dessus du lac de retenue de Calacuccia. Depuis la D 84 Calacuccia – Albertacce, faire 3 km jusqu'au bout de la route asphaltée à côté de deux campings. Les 4x4 suffisamment hauts peuvent continuer jusqu'au bout de la piste caillouteuse de 7,5 km parfois très érodée près de l'ancienne buvette l'Astradella, 1610 m (au total 2h30 de moins).
Dénivelée : Env. 1750 m
Difficulté : Sentier en grande partie bien balisé qui nécessite un certain sens de l'orientation, de l'endurance et un pied sûr. Les escalades (I) sont cependant faciles et guère exposées.
Halte et hébergement : Refuge de l'Ercu (petit abri pour les randonneurs autonomes, ouvert en saison), hôtels et restaurants à Albertacce et Calacuccia, campings à Lozzi au début de la piste.
Variante : Le sentier qui s'élève du Refuge de l'Ercu et longe le ruisseau jusqu'au petit Lac du Cinto (possibilité d'ascension au sommet) est aussi très joli et conseillé.
Carte : ign 4250 OT (1:25 000).

Montée depuis Lozzi – au début de l'été, les versants se couvrent de genêts en fleurs.

Vue depuis le chemin de randonnée vers le Refuge de l'Ercu sur le Monte Cinto (au centre à gauche). L'ascension passe à droite par le grand champ d'éboulis et se poursuit sur l'arête rocheuse qui monte à gauche jusqu'au sommet.

Depuis le camping l'Arimona au bout de la route asphaltée à **Lozzi** (possibilité de se garer en bordure de route), nous continuons pendant 5 bonnes minutes sur la piste empierrée jusqu'à ce qu'un chemin carrossable (panneau) bifurque à gauche vers le Refuge de l'Ercu avant de céder immédiatement la place à un sentier (à gauche). L'itinéraire de randonnée balisé en rouge s'étire parallèlement à la piste, la touche dans le virage suivant et débouche dessus au bout d'un quart d'heure. 5 mn plus tard, l'itinéraire de randonnée balisé bifurque encore à droite. Il monte à travers un versant de genêts se transformant en un merveilleux tapis de fleurs au début de l'été et nous offre de merveilleuses vues sur le lac de retenue de Cala-

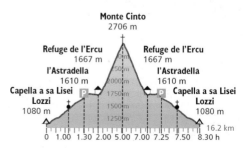

Le Refuge de l'Ercu au pied du Cinto.

cuccia et le Cinto. Au bout de 5 mn, il croise la piste et la suit bientôt pendant 3 mn avant d'obliquer à nouveau à gauche dans un sentier le long d'une clôture. Il croise encore une fois la piste et passe devant les murs de fondation de la **Capella a sa Lisei**, 1383 m, après 10 bonnes mn. 15 mn plus tard à peine, l'itinéraire de randonnée débouche à nouveau sur la piste que nous suivons maintenant jusqu'au bout près de l'ancienne buvette **l'Astradella** (20 mn). En direction nord-ouest, un chemin agréable et bien visible descend du parking, en passant par une croupe de montagne, jusqu'au **Refuge de l'Ercu**, 1667 m (30 mn). Nous pouvons à présent bien reconnaître le premier tiers de l'étape de la montée qui s'élève sur la droite à travers une large enfilade d'éboulis jusqu'aux rochers au profil accusé. Les nombreux passages d'éboulis et de rochers demandent parfois un bon sens de l'orientation.

Dans la deuxième partie de la montée, quelques passages rocheux nous attendent.

Nous grimpons d'abord avec peine par l'**enfilade d'éboulis** jusqu'aux rochers. Le sentier balisé par des cairns (points blancs et rouges également dans les parties rocheuses) contourne d'abord les rochers par la gauche, et court ensuite le long de l'**arête sud-est** en passant par des fossés et des intersections. Peu après une petite **terrasse** (jusqu'ici env. 2h15 depuis le refuge) qui nous offre une vue sur le lac de retenue de Calacuccia, notre sentier rocheux débouche sur le **chemin normal** de Haut-Asco (attention à la descente !). Nous progressons maintenant à droite par des escalades faciles en passant par la crête sud-ouest jusqu'au sommet du **Monte Cinto**.
– La **descente** s'effectue de préférence par le même chemin. Il est possible également de retourner au Refuge de l'Ercu par le Lac du Cinto (1h de plus environ, difficile).
L'ascension par le nord, depuis **Haut-Asco** (Plateau Stagnu), est plus longue, plus éprouvante et plus difficile dans les passages rocheux, mais également plus fascinante. Vous devez compter 5h30 env. pour la montée.
Le sentier, marqué en blanc, suit d'abord celui vers le **Bocca Borba** (3h30 ; →itin. 74) puis, de là, monte en passant par des champs d'éboulis et de neige (au début de l'été) vers la crête principale, d'où l'on atteint par l'arête sud-ouest le sommet en nous tenant légèrement sur la gauche (2h depuis Bocca Borba).

Vue du sommet du Cinto vers la Paglia Orba.

Randonnée de cascades et de forêts au pied de la Paglia Orba

La randonnée à travers la Vallée du Viru vers l'auberge U Vallone nous offre des vues grandioses sur la plus belle montagne de l'île, la Paglia Orba.

Localité dans la vallée : Calasima, 1095 m, plus haut village de Corse.
Point de départ : Bout de la route asphaltée vers la Vallée du Viru, après 3 km env., 1096 m (possibilité de parking ; en contrebas du camping près du ruisseau).
Dénivelée : 400 bons m.
Difficulté : Promenade de vallée et de versants facile sur des routes forestières et des sentiers bien balisés.
Halte et hébergement : Auberge exploitée d'U Vallone (gîte), auberge i Miliari (juste avant la fin de la route carrossable), restaurants et hôtels à Albertacce et Calacuccia, camping à Lozzi.
Variantes : Depuis la Grotte des Anges, ascension possible du Monte Albanu, 2018 m (1h15, cairns). Possibilité de monter depuis la Bergerie de Ballone par le GR 20 au Refuge de Tighiettu, 1683 m (40 mn). D'ici, possibilité de passage vers Haut-Asco (une journée). Ceux qui continuent dans la Vallée de Foggiale sur le GR 20 arriveront après 2h15 au Refuge de Ciottulu di i Mori (→itin. 71).
Carte : ign 4250 OT (1:25 000).

Nous suivons la **route empierrée** et pénétrons dans la vallée. Après environ 15 mn, nous passons devant un grand écriteau « Forêt communale d'Albertacce Calasima » (parking). Nous ignorons ensuite un chemin carrossable qui bifurque à gauche. 5 mn plus tard, la route oblique pleine droite tandis qu'un chemin jalonné de cairns continue tout droit. Il passe au-dessus de la **Grotte des Anges,** 1226 m, formée de trois grands

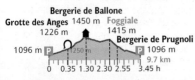

Bergerie de Ballone
Grotte des Anges 1450 m Foggiale
1226 m   1415 m
                  Bergerie de Prugnoli
1096 m 🅿   🅿 1096 m
        1250 m   9.7 km
0   0.35 1.30 2.30 2.55 3.45 h

208

La Vallée du Viru est dominée par l'audacieuse Paglia Orba.

blocs de rochers, et retrouve 10 mn plus tard la route empierrée. Nous quittons celle-ci aussitôt par le chemin bifurquant à gauche balisé en jaune qui se divise quelques minutes plus tard – suivre ici le balisage jaune à droite (ne pas continuer tout droit jusqu'au ruisseau). 5 mn plus tard, nous retrouvons près d'un emplacement de stationnement au-dessous d'une citerne la route forestière que nous suivons. Après au moins une heure, nous atteignons

une forêt où un chemin empierré part à gauche de la route forestière que nous suivons. Elle fait place quelques minutes plus tard à un chemin de randonnée qui franchit le Viru juste avant la **Bergerie de Ballone**, 1450 m (repas et boissons en saison, gîte) près de l'**auberge U Vallone**. Aux alentours, quelques beaux bassins.

Près de l'auberge, nous empruntons à gauche le *GR 20* (blanc-rouge). Le beau chemin parcourt une pinède clairsemée le long du flanc droit de la vallée et traverse 30 mn plus tard, juste au pied de la Paglia Orba, un ruisseau. Par la suite, il conduit dans la **Vallée du Foggiale**. Juste avant d'arriver au ruisseau (1h), un sentier jalonné de cairns se détache à gauche et descend en longeant la rive gauche du cours d'eau. De jolis bassins invitent encore à une pause pour se baigner – les plus grands (toboggans) se trouvent au bout des cascades. 25 mn plus tard, nous arrivons près d'un énorme rocher aux murs en pierre de la **Bergerie de Prugnoli**. Tout de suite après la bergerie, le chemin se divise. Ou on traverse ici le versant couvert de genévriers, ou on continue à descendre par le sentier au-dessus du ruisseau. Les deux chemins conduisent dans la **Vallée du Viru**, puis ils franchissent le ruisseau et montent vers la route empierrée qui nous reconduit au point de départ.

Randonnée de montagne difficile vers le « mont Cervin corse »

La Paglia Orba avec sa vue splendide sur les monts Cinto, Rotondo, le Lac de Calacuccia et le Golfe de Porto est sans aucun doute le plus beau sommet de l'île. Les randonneurs peu expérimentés se contenteront de grimper jusqu'au Refuge de Ciottulu di i Mori ou au Col des Maures.

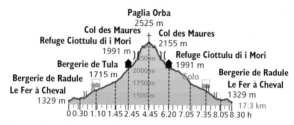

Paglia Orba
2525 m
Col des Maures — Col des Maures
Refuge Ciottulu di i Mori — 2155 m
1991 m — Refuge Ciottulu di i Mori
1991 m
Bergerie de Tula — Bergerie de Radule
Bergerie de Radule — 1715 m — Le Fer à Cheval
Le Fer à Cheval — 1329 m
1329 m — 17.3 km

0 0.30 1.10 1.45 2.45 4.45 6.20 7.05 7.35 8.05 8.30 h

Localités dans la vallée : Evisa, 829 m, village au pied ouest du Col de Verghio. Albertacce et Calacuccia, villages dans le Niolu.

Point de départ : Virage routier « Le Fer à Cheval », 1329 m (possibilité de se garer au bord de la route), à 2 km au-dessous de l'hôtel « Castel di Verghio », sur la route menant au Col de Verghio.

Dénivelée : 1350 m.

Difficulté : Jusqu'au Col des Maures,

randonnée facile sur des sentiers bien balisés. L'ascension du sommet présente par endroits quelques escalades difficiles (II). Au début de l'été également, s'attendre à des champs de neige très escarpés et parfois verglacés.

Halte et hébergement : Refuge de Ciottulu di i Mori, ravitaillement simple (fin mai à début octobre) et gîte, restaurant, chambres et gîte à l'hôtel « Castel di Verghio », buvette au Col de Verghio, campings à Evisa et Lozzi près d'Albertacce.

Variantes : La randonnée peut aussi débuter au Col de Verghio (15 mn de plus jusqu'à la Bergerie de Radule, balisée en jaune) ou au bout de la route vers la Vallée du Viru (→itin. 70). Parcours de 2 jours chaudement recommandé : montée de la Vallée du Viru au Refuge de Ciottulu di i Mori (nuitée) et descente dans la Vallée du Viru par la Vallée du Golo (Cascade de Radule – Bergerie d'Alzetu).

Carte : ign 4250 OT (1:25 000).

De nombreux randonneurs se contentent d'une excursion dans la vallée et font demi-tour au Refuge de Ciottulu di i Mori.

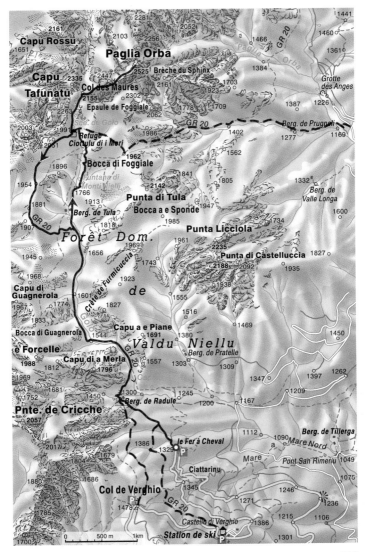

Capu Rossu

2161
1651

2103
2281
2256
2052

Paglia Orba

2447
2525   Brèche du Sphinx

Capu   2335
Tafunatu   2155
Col des Maures
2302
2161   1703
923
1384
1466
GR 20
1441
1460
1361

Grotte
des Anges

2263
Epaule de Foggiale
2062
1778   1709
1387   1226

2003
1991   2031
Sée du Gofo
GR 20
1986
1277
1169
Berg. de Pruggoli

Refuge
Ciottulu di i Mori
1896
1402
1562
1805
1332

1962
Bocca di Foggiale

1954   1766
Funtana di
Monti Nielli
2142
1841
Berg. de
Valle Longa

1881   1913
Punta di Tula
1947
1600

1907   1818
Berg. de Tula
Bocca a e Sponde
1985
1734

Forêt   Dom.
1656
1969
1961
Punta Licciola
1827

1945   1743
2235
Punta di Castelluccia
1935

1968   1923
2188   2092

Capu di
Guagnerola
1601
de
1555
1938

1967   1774
1833
1827
1516

Bocca di Guagnerola   1544
Capu a e Piane   1691   1380
1469
1450

è Forcelle
1988   1812
Capu di a Merla   1796
Valdu   Niellu
Berg. de Pratelle
1309
1347
1397   1262

1969   1681
1557   1303

1752
1450
1300
1245
1200
1167
1209

Pnte. de Cricche
2057
Berg. de Radule
1112
1090
Mare Nord
Berg. de Tillerga

2017
1386
le Fer à Cheval
1329   P
a
Mare
Pont San Rimeriu   1049

1804   1679
Ciattarinu
1075

1880   1686
Col de Verghio
1345
1246
1236

1785
P
1478
GR 20
1271
1215
1106

1700
Castello di Verghio
1386

Station de ski
P
1301

0   500 m   1km

211

Nous suivons le Sentier de Radule (balisage de deux traits bleus et jaunes, quelques minutes plus tard à gauche) qui nous conduit en direction nord à travers un petit bois pittoresque de bouleaux au *GR 20* balisé en blanc-rouge (10 mn). On emprunte ce dernier à droite vers la **Bergerie de Radule** (20 mn). 10 mn plus tard, nous traversons par un pont au-dessus des **Cascades de Radule le Golo** qui a créé dans la vallée rocheuse quelques

Dans la Vallée du Golo près de la Bergerie de Tula.

bassins où barboter et nous montons par le GR 20 à gauche jusqu'à une vaste **zone de plateaux** avec une piscine naturelle (le GR 20 la contourne sur la gauche par un pont ; ½ h). Le sentier de randonnée se dirige tranquillement vers la vallée et la Paglia Orba, bientôt visible, et le Capu Tafunatu. Après 1h30 de marche, le GR 20 se détourne du Golo et monte à gauche en amont du versant. Il est préférable de continuer ici tout droit vers la **Bergerie de Tula**. Juste avant la cabane en pierre délabrée, le sentier passe sur la rive droite du ruisseau. 10 bonnes mn plus tard, il retourne à la rive gauche et grimpe par des tournants abrupts vers le **Refuge de Ciottulu di i Mori** bien visible, 1991 m (2h45 depuis « Le Fer à Cheval »).

Derrière le refuge, un sentier signalé et balisé en blanc mène à travers des éboulis au **Col des Maures** (20 mn). Peu avant le col, un chemin balisé de

Le Refuge de Ciottulu di i Mori avec le Capu Tafunatu (à gauche) et la Paglia Orba.

cairns bifurque à droite, contourne quelques murets de pierres et grimpe vers la Paglia Orba. Il s'agit maintenant de venir à bout d'un passage d'escalade (II), puis de continuer sur le chemin escarpé en passant par des intersections et des sillons (escalade, I–II). Une petite heure après le col, nous atteignons un petit **plateau** avec vue sur l'ouverture gigantesque du Capu Tafunatu (30 x 12 m) et sur la paroi nord-ouest de la Paglia Orba. Vient ensuite une brève traversée exposée de corniche et immédiatement après, nous montons par une intersection. Les plus grandes difficultés sont désormais derrière nous et 10 mn plus tard, nous nous trouvons au sommet ouest de la **Paglia Orba**. Ici, quelques magnifiques touffes de fleurs nichent dans les rochers et seule une profonde brèche nous sépare de la cime principale. Nous devons donc descendre une dénivelée de 45 m avant de pouvoir grimper par la large croupe vers le sommet à 2525 m.

La **descente** s'effectue d'abord par l'itinéraire de la montée. En cours de route (du Col des Maures), nous pouvons encore passer devant le trou du **Capu Tafunatu** (45 mn, II). Au **Refuge de Ciottulu di i Mori** (1h30), nous nous engageons à droite dans le GR 20, jalonné de blanc-rouge, qui nous ramène en 2 bonnes h au virage « **Le Fer à Cheval** ».

Le Capu Tafunatu avec le trou imposant, vu depuis le sommet occidental de la Paglia Orba. En bas : L'ascension du sommet passe par des couloirs escarpés qui sont parfois enneigés jusqu'en été.

Pittoresque vallée secondaire du Stranciacone

Les bassins d'eau à l'entrée de la Vallée de la Tassineta sont un lieu touristique très apprécié et fréquenté par les baigneurs. Il est donc surprenant que seuls quelques randonneurs trouvent le chemin de cette charmante vallée. Malheureusement, l'ancien chemin de randonnée entre la Bergerie de la Tassineta et la Cascade d'Ondella est barré.

Localité dans la vallée : Asco, 620 m.
Point de départ : Parking à l'embouchure du ruisseau de la Tassineta dans la Vallée du Stranciacone, 949 m (Giunte). Sur la route Asco – Haut-Asco, après 7 km à droite (panneau « Camping monte Cinto 2 km »).
Dénivelée : 200 m.
Difficulté : Sentier en grande partie confortable.
Halte et hébergement : Hôtels et restaurants à Asco et Haut-Asco, campings à l'entrée de la Vallée de l'Asco et en bordure de la route vers Haut-Asco (à 2 km du parking).
Remarque importante : Une réserve de mouflons ayant été aménagée dans ce territoire, il est interdit de continuer après la Bergerie de la Tassineta jusqu'à la Cascade d'Ondella et le Bocca di l'Ondella. Chiens interdits sur l'itinéraire de randonnée !
Carte : ign 4250 OT (1:25 000).

Du parking, nous suivons un instant le cours d'eau en amont jusqu'au pont par lequel nous traversons le ruisseau de Stranciacone. 50 bons m plus haut à droite, à main droite de la **Maison du Mouflon** (ouverte sam./dim. 10–17h30) commence près d'un arbre marqué en jaune-bleu notre chemin de randonnée. Le sentier se faufile à gauche en contre-haut du ruisseau de la **Tassineta** à travers

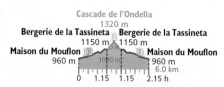

Cascade de l'Ondella
1320 m
Bergerie de la Tassineta   Bergerie de la Tassineta
1150 m   1150 m
Maison du Mouflon   Maison du Mouflon
960 m   960 m
              1000 m   6.0 km
0   1.15   1.15   2.15 h

de jolies pinèdes avec, au début, la clôture de la réserve de mouflons. Partout ce ne sont que ravissantes cuvettes et nous découvrons les plus belles 15 à 30 mn plus tard. Vient ensuite un terrain malaisé couvert de dalles qu'il est possible de contourner plus haut par un autre itinéraire plus facile. 45 mn plus tard, nous franchissons un affluent du ruisseau. Là, le sentier s'éloigne du cours d'eau et nous conduit, en

passant par un versant envahi de fougères et plus tard à nouveau boisé (vue magnifique sur le Massif du Cinto), aux cabanes en pierre et aux murs de la **Bergerie de la Tassineta**, 1150 m (1h15), peuplées entre autres de vaches. Tout de suite après la première cabane, le chemin se divise : à gauche, un sentier mène à la Vallée de la Petrella, à droite, un autre enjambe la Petrella et monte sur la berge gauche du ruisseau de l'Ondella jusqu'à la Cascade de l'Ondella (45 mn) – malheureusement, les deux chemins sont fermés depuis 2006 pour protéger les mouflons.

Autrefois, on pouvait monter à la Cascade d'Ondella depuis la bergerie.

Une excursion au royaume des mouflons

Il n'y a guère d'endroits en Corse qui peuvent offrir un décor montagneux aussi impressionnant que celui de la Vallée de Manica. Elle s'étend directement au pied de l'imposante chaîne du Cinto et possède quelques belles cascades avec des bassins accueillants dont certains randonneurs moins ambitieux se contentent comme destination – les randonneurs entraînés et en bonne condition physique en revanche se lanceront à l'assaut du Capu Borba ou même du Monte Cinto. Une idée encore : ouvrez bien les yeux au-dessus de la forêt et avec un peu de chance, vous apercevrez quelques mouflons, animaux extrêmement craintifs qui aiment cette région montagneuse isolée.

Localité dans la vallée : Asco, 620 m.
Point de départ : Pont de Manica, 995 m, à l'embouchure du ruisseau de Manica dans la Vallée du Stranciacone. En bordure de la route Asco – Haut-Asco, 8 km plus loin (1 bon km avant le camping Monte Cinto).
Dénivelée : Env. 1400 m.
Difficulté : Longue et fatigante randon-née de montagne qui exige un pied sûr et une bonne condition physique. L'itinéraire est retourné par endroits à l'état sauvage.
Halte et hébergement : Restaurants et hôtels à Haut-Asco et Asco, campings à l'entrée de la Vallée d'Asco et à 1 km au-dessus de la route menant à Haut-Asco.
Poursuivre avec l'itin. 74.
Carte : ign 4250 OT (1:25 000).

Vue depuis la crête sur la Vallée de Manica jusqu'au Monte Cinto (au centre) et au Capu Borba (à droite).

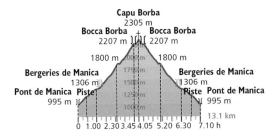

Capu Borba
2305
Bocca Borba   Bocca Borba
2207 m   2207 m
1800 m   1800 m
Bergeries de Manica   Bergeries de Manica
1306 m   1306 m
Pont de Manica Piste   Piste Pont de Manica
995 m   995 m

13.1 km

0   1.00 2.30 3.45 4.05 5.20 6.30   7.10 h

20 m avant le **Pont Manica**, un chemin indistinct quitte la route à gauche. Il suit le tracé d'une ancienne route forestière à travers une belle pinède et il est souvent très embroussaillé (jeunes pins ; pour éviter ce passage pénible, monter par la Piste de Manica qui commence dans le virage en épingle à cheveux juste après le camping Monte Cinto). Nous ne quittons pas le flanc gauche de la vallée et après environ 30 mn, notre chemin franchit avec une grosse conduite d'eau un affluent plus important. Quelques minutes plus tard, nous tombons sur une large piste forestière, la **Piste de Manica** (100 m à droite un pont). La piste se rétrécit bientôt et nous conduit en 30 mn aux bâtiments (en majorité délabrés) des **Bergeries de Manica**, 1306 m.

C'est ici que s'achève le chemin forestier. Nous franchissons le ruisseau de Manica près du minuscule barrage et continuons en face sur le chemin, large au départ, qui passe devant une autre cabane en pierre. 30 m plus loin, un sentier se détache à gauche (traits rouges), dépasse au bout de 10 mn une cascade puis une autre quelques minutes plus tard. Au bout de 30 mn – nous traversons un terrain très romantique avec des pins (laricio), des aulnes et des bouleaux – nous voyons peu à peu apparaître le bout

Depuis la Bocca Borba, il faut monter encore 20 mn pour rejoindre le Capu Borba.

de la vallée avec le Capu Borba. Environ 1h15 après les Bergeries de Manica, nous arrivons à la lisière de la forêt. Le sentier grimpe ensuite par des rochers et arrive 20 mn plus tard à la **crête**, 1800 m, au-dessus de la vallée – vue d'ici sur Haut-Asco.

L'itinéraire de randonnée s'étire maintenant pendant quelques minutes sur la crête, puis il se tourne vers le côté gauche de celle-ci avant de descendre une dénivelée abrupte de 25 m dans une vaste combe remplie d'éboulis avec un minuscule plan d'eau. Après une courte traversée, nous poursuivons notre montée à travers le versant couvert d'éboulis et franchissons un petit replat au pied du Capu Borba. Une heure après cette zone d'éboulis environ, nous arrivons au grand col du **Bocca Borba**, 2207 m. A gauche, l'itinéraire de randonnée rejoint l'itinéraire d'ascension de Haut-Asco menant au Monte Cinto (→Itin. 74 ; après une courte montée, le petit Lac d'Argentu sur la gauche est plein de charme !)– il ne nous reste que quelques mètres à faire sur la droite pour monter au sommet proche du **Capu Borba**, 2305 m (20 mn), qui offre un panorama grandiose sur le Massif du Cinto et la Vallée d'Asco.

Les cascades dans la Vallée de Manica invitent à faire une pause.

Cirque de Trimbolacciu et Capu Borba, 2305 m

Randonnée à travers le fascinant paysage montagneux au pied du Cinto

Dans le cirque de Trimbolacciu, nous découvrons un spectacle naturel fantastique : le Tighiettu qui se précipite tumultueusement vers la vallée, les tours rocheuses qui se rapprochent et les pins laricios sauvages forment ici un tableau d'une oppressante beauté. Pour cette raison, il est conseillé d'aller au moins jusqu'au pont de bois qui enjambe le Tighiettu.

Point de départ : Hôtel Le Chalet à Haut-Asco, 1422 m, au bout de la route vers la Vallée de l'Asco et du Stranciacone.
Dénivelée : 950 m.
Difficulté : Randonnée facile jusqu'au pont. Ascension du Capu Borba partiellement un peu exposée, passages d'escalade (I–II).
Halte et hébergement : Hôtel avec restaurant et gîte à Haut-Asco. Restaurants, hôtels et campings dans la Vallée d'Asco.
Poursuivre avec l'itin. 73.
Carte : ign 4250 OT (1:25 000).

Vue sur le Monte Cinto dans la partie supérieure de l'ascension.

Au **parking**, un panneau « Monte Cinto » nous indique le début du sentier. Celui-ci conduit en direction sud-est vers la maison du Club Alpin Autrichien au-dessus du parking ; après la traversée d'une pente au-dessus de la route, il se dirige direction sud vers la **Vallée du Tighiettu** (balisage rouge, cairns). 15 mn plus tard, nous franchissons un ruisseau – en cas de crue, traverser en aval près de l'endroit où le ruisseau se divise – et nous continuons vers le Tighiettu. Avec le Capu Larghia dans notre champ de vision au bout de la vallée, nous arrivons

après des plaques commémoratives au **pont de bois** au-dessus du Tighiettu, 1488 m (45 mn).
Les randonneurs en bonne condition et au pied sûr se lanceront après le pont à l'assaut du Cinto – sinon, mieux vaut rejoindre l'énorme rocher au milieu de la vallée d'altitude pour découvrir un superbe pa-

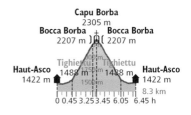

norama (continuer le long de la rive droite du ruisseau). Traverser alors le pont et suivre en passant par des vires rocheuses et des éboulis le balisage rouge pour atteindre un petit couloir rocheux (I), puis monter en passant à nouveau par des sillons et des rochers (niveau II par endroits) jusqu'à un petit **point de vue** d'où nous pouvons jeter un premier coup d'œil dans l'immense gorge qui nous indique la direction à suivre vers le Bocca Borba (1h depuis le pont). D'ici, nous nous dirigeons vers le pied des tours rocheuses, puis vers la vallée. 45 mn plus tard, nous traversons un bois d'aulnes et nous atteignons après 35 mn un plus grand plateau. De là, nous suivons le sentier jalonné de cairns jusqu'au **Bocca Borba**, 2207 m (1h45). Nous devons ici nous décider : le sentier à gauche monte au **Capu Borba** (20 mn). Les alpinistes bien entraînés et chevronnés en revanche se lanceront à l'assaut du Monte Cinto et monteront tout droit depuis le Bocca Borba par des champs d'éboulis et de neige (au début de l'été) jusqu'à la crête principale où ils obliqueront à gauche pour atteindre le sommet par l'arête sud-ouest (2h).

Vue panoramique depuis le Capu Borba sur le Monte Cinto. A droite, le Capu Larghia, le Capu Rossu et la Punta Minuta.

Montée escarpée avec panorama sur les sommets environnants

La Muvrella est célèbre pour sa vue grandiose sur l'univers de cimes tout autour du Monte Cinto et sur la baie de Calvi, mais il ne faudrait pas sous-estimer cette populaire randonnée – car outre une montée extrêmement raide, elle s'accompagne aussi de passages d'escalade parfois désagréablement exposés.

Point de départ : Haut-Asco, 1422 m.
Dénivelée : 750 m.
Difficulté : Montée abrupte vers le Bocca di Stagnu ; escalade facile, parfois exposée (I+) jusqu'au sommet.
Halte et hébergement : Hôtel avec restaurant et gîtes à Haut Asco. Restaurants, hôtels et campings dans la Vallée de l'Asco.
Poursuivre avec les itinéraires 14 et 76.
Carte : ign 4250 OT (1:25 000).

Juste derrière l'hôtel « **Le Chalet** », nous nous dirigeons direction nord-ouest vers le *GR 20* balisé en blanc-rouge qui s'enfonce dans la pinède juste à côté du refuge. Le sentier grimpe en serpentant à travers la forêt montagneuse et atteint après 30 mn environ un **ravin** envahi de rochers et d'éboulis.

Au commencement de la gorge – vue sur le massif du Cinto.

Cette vallée forme une entaille qui s'étend jusqu'au Bocca di Stagnu. Nous nous tenons au départ près du ruisseau sur le versant gauche de la vallée, puis, plus tard le sentier grimpe à droite par un petit plateau avec un bloc de pierre avant de continuer à travers le versant escarpé jusqu'au **Bocca di Stagnu**, 1985 m (1h30).

Derrière la brèche, un sentier jalonné de cairns et de repères défraîchis couleur turquoise se détache à droite au bout de 10 m et s'élève doucement sur le versant. Il contourne les barrières rocheuses à gauche et monte, plutôt tranquillement, jusqu'au sommet de la **Muvrella** (quelques passages d'escalade seulement). Depuis le Bocca di Stagnu, nous pouvons aussi monter plus au moins directement par l'arête (escalades fréquentes, I+) vers le sommet.

L'ascension du sommet contourne les barrières rocheuses sur la crête par la gauche.

Impressionnante randonnée de crête au-dessus du Plateau de Stagnu

Cette magnifique et difficile randonnée de crête devrait être réservée aux alpinistes expérimentés seulement. Ils seront d'ailleurs récompensés par une vue splendide sur le Cinto et la côte occidentale.

Point de départ : Hôtel Le Chalet à Haut-Asco, 1422 m, au bout de la route vers la Vallée de l'Asco et du Stranciacone.
Dénivelée : 750 bons m.
Difficulté : Randonnée éprouvante d'une journée sur des sentiers bien signalés, passages escarpés d'éboulis et de rochers avec escalades faciles (I).
Halte et hébergement : Hôtel avec restaurant et gîtes à Haut Asco. Restaurants, hôtels et campings dans la Vallée de l'Asco.
Variantes : Possibilité d'ascension depuis le Bocca di Stagnu vers le sommet d'A Muvrella (→itin. 75) et descente vers la maison forestière de Bonifatu

(→itin. 14).
Poursuivre avec les itinéraires 14, 75 et 77.
Carte : ign 4250 OT (1:25 000).

Tout comme pour →l'itinéraire 77 de **Haut-Asco**, nous empruntons le *GR 20* sur le côté gauche de l'ancienne piste de ski (on peut également monter directement à gauche de la piste du remonte-pente puis, après le ressaut escarpé, rejoindre à gauche le GR 20). Au bout de 1h15, arrivés à une grosse flèche rouge, nous bifurquons à droite dans une variante du GR 20. Nous nous retrouvons bientôt dans un couloir très escarpé qui grimpe jusqu'à la **Brèche de Missoghiu**, 2048 m. Passé de l'autre côté, le GR 20 oblique à droite et contourne

Vue de l'arête avec le sommet oriental de la Punta Stranciacone sur le Monte Cinto.

les tours rocheuses de la **Punta Stranciacone** sur la gauche. Au début de l'été, on peut trouver quelques dangereux névés, mais même en saison chaude, il faut traverser de désagréables champs d'éboulis et des zones rocheuses parfois un peu exposées (I). Après 30 mn, nous franchissons un petit sommet d'où on peut voir en contrebas le Lac de Stagnu. Avec un peu de chance, nous pourrons apercevoir ici quelques spécimens rares de mouflons. Nous descendons rapidement vers une petite brèche, 1980 m, et escaladons le sommet de la **Punta Culaghia**, 2034 m.

D'ici, légèrement à gauche de l'arête, nous continuons notre chemin en passant à travers des blocs de rochers moussus, des pierres brisées et de grandes dalles (itinéraire légèrement exposé par endroits). Nous découvrons peu à peu Calvi et nous descendons d'abord vers le Bocca Culaghia, 1957 m. Après 1h de marche, nous débouchons sur le GR 20 balisé en blanc-rouge. Nous montons ici à droite vers le col du Bocca di Stagnu. La descente raide qui suit à travers des broussailles, des rochers et un couloir abrupt demande çà et là l'intervention des mains. Nous pénétrons pour finir dans une pinède et descendons vers **Haut-Asco**.

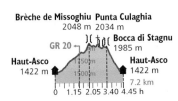

Par le GR 20 vers le col au-dessus du Cirque de la Solitude

Le Col Perdu marque le passage de la Vallée de l'Asco vers le Niolu et offre une vue grandiose sur le Cirque de la Solitude, l'une des vallées de haute montagne les plus sauvages et les plus isolées de toute la Corse. Le randonneur sur le GR 20 doit ici venir à bout dans la descente de 250 m de dénivelée et dans la montée raide jusqu'au Bocca Minuta des passages les plus ardus de l'ensemble du GR.

Point de départ : Hôtel « Le Chalet » à Haut-Asco, 1422 m.
Dénivelée : 800 m.
Difficulté : Randonnée de montagne facile, vers la fin un peu plus ardue.
Halte et hébergement : Hôtel avec restaurant et gîtes à Haut Asco. Restaurants, hôtels et campings dans la Vallée de l'As-co.

Variantes : Du Col Perdu, passage dans la Vallée du Viru (→itin. 70, parties d'escalade difficiles !). Ascension possible du Plateau d'Altore au Pic von Cube, 2247 m (1h30, II).
Poursuivre avec l'itin. 76.
Carte : ign 4250 OT (1:25 000).

Le **GR 20** balisé en blanc-rouge s'élève d'abord par l'ancienne piste de ski mais se dirige rapidement à gauche vers une croupe de montagne panoramique. Après 30 mn, nous atteignons sur la gauche un ruisselet et nous traversons peu après un chaos de blocs de roche avant de déboucher finalement sur un sentier s'élevant depuis la piste du remonte-pente. Après 1h15 de marche, nous atteignons une bifurcation indiquée d'une flèche rouge (→itin. 76) et continuons ici à

Col Perdu 2183 m

Altore).(Altore

Bocca Stranciacone — Bocca Stranciacone

Haut-Asco 1422 m — **Haut-Asco** 1422 m

8.3 km

0   1.15   2.30   3.30   4.30 h

La montée finale vers le Col Perdu est un peu laborieuse.
En bas : Vue du Col Perdu sur le Cirque de la Solitude avec la Paglia Orba.

gauche sur le GR 20 (tout droit possibilité d'ascension vers le Bocca Stranciacone, 1987 m, 30 mn). Bientôt, le chemin monte sur une pente raide et couverte d'éboulis. Au bout de 35 mn, nous passons devant une terrasse d'éboulis où se trouvait autrefois le **Refuge d'Altore**, 2020 m (on reconnaît encore les fondations à gauche du chemin). Le chemin descend maintenant brièvement vers un vallon avec deux minuscules lacs puis se tourne finalement du côté gauche de la vallée pour finir au **Col Perdu** en passant par des éboulis et des rochers et même au fort de l'été par des champs de neige (escalade facile localement, 45 mn depuis le plateau d'Altore).

Index alphabétique

Photo de couverture :
Au début de l'été, le fond de la Vallée du Stranciacone se présente
sous son meilleur jour. Au milieu, les deux sommets du Capu Larghia.
Photo sous le titre (page 1) :
Tour de Capu di Muru près du Golfe d'Ajaccio.

Toutes les photos ont été prises par
Annette Miehle-Wolfsperger et Klaus Wolfsperger

Traduction : Ingeborg Bassfeld, Paris, et Jocelyne Abarca, Kirchardt

Cartographie :
Cartes de randonnées aux 1:25 000 / 1:50 000 / 1:75 000
© Bergverlag Rother, Munich (dessinées par Gerhard Tourneau)
Cartes de vue d'ensemble au 1:650 000 © Freytag & Berndt, Vienne

Les tracés des itinéraires de randonnées GR®, GRP® et PR® figurant
dans cet ouvrage ont été reproduits avec l'autorisation de la FFRP.

La rédaction de toutes les randonnées décrites dans ce guide a été
faite en toute conscience et bonne connaissance par l'auteur.
Le lecteur utilise cet ouvrage à ses risques et périls. Aucun recours en ju-
stice n'est possible en cas d'accidents et dommages de diverse nature.

11ème édition revue et complétée 2015
© Bergverlag Rother GmbH, Munich
ISBN 978-3-7633-4907-4

**N'hésitez pas à nous faire part de tout rectificatif concernant le présent guide
de randonnées !**
BERGVERLAG ROTHER · Munich
D-82041 Oberhaching · Keltenring 17 · Tél. (089) 608669-0
Internet www.rother.de · **E-Mail** leserzuschrift@rother.de